FASHION SKETCHBOOK

时装画手绘表现技法

从基础到进阶

王庆松/编著

人民邮电出版社
北京

图书在版编目（CIP）数据

时装画手绘表现技法 ： 从基础到进阶 / 王庆松编著
. -- 北京 ： 人民邮电出版社，2016.1（2017.8重印）
ISBN 978-7-115-40703-0

Ⅰ. ①时… Ⅱ. ①王… Ⅲ. ①时装－绘画技法 Ⅳ.
①TS941.28

中国版本图书馆CIP数据核字(2015)第279496号

内 容 提 要

本书从时装画速写开始讲起，旨在提高学习者的绘画功底。书中详细讲解了人体的比例结构、动态表现和服装整体着表现，细致地分析了不同服装面料、风格的绘制方法，并进行了具体的步骤讲解。除此之外，还讲解了几个较为实用的电处理作品的方法与技巧，帮助读者更好地呈现服装比赛作品，并为实际工作中的应用做好准备。

本书适合服装设计初学者、服装设计从业人员和广大服装设计爱好者学习。

◆ 编　　著　王庆松
　责任编辑　杨　璐
　责任印制　程彦红

◆ 人民邮电出版社出版发行　　北京市丰台区成寿寺路 11 号
　邮编　100164　　电子邮件　315@ptpress.com.cn
　网址　http://www.ptpress.com.cn
　北京盛通印刷股份有限公司印刷

◆ 开本：880×1092　1/16
　印张：12.75
　字数：351 千字　　　　2016 年 1 月第 1 版
　印数：24 001－27 500 册　　2017 年 8 月北京第 10 次印刷

定价：59.80 元

读者服务热线：(010)81055410　印装质量热线：(010)81055316
反盗版热线：(010)81055315

前言

时装画是一种以服装为载体并带有很强的主观创造性的绘画艺术，这有别于一般的写实绘画。它兼顾实用性与欣赏性，作为一种基础课程是服装设计专业学生的必修课。我们经常把时装画作为捕捉服装设计灵感的手段，用来表现时装款式和展示穿着风格。相对于时装画的实用性，它的欣赏性也非常强，从某种层面上来看时装画要比服装本身更具有艺术价值。在流行时尚中，时装就像是在风中的花朵，被潮流风尚强劲吹摆，今天或许很流行，但到了明天就会成为落败的残花。然而时装画不同，它不但比服装本身更具典型性、更能反映服装的风格，而且最为重要的是，与稍纵即逝的流行服装相比，时装画充满生命力，即使这件服装已不再流行，表现它的这幅时装画也能永葆时尚。

学习时装画是一个循序渐进、日积月累的过程，对于刚刚接触时装画的初学者来说，一定不要过于急躁，不能因为一两天画不好就歇手了。画好一张时装画可不是一朝一夕就能做到的，提高绘画技巧并使之熟练的唯一方法就是多画，“勤能补拙，熟能生巧”，只要每天坚持认真画好一张时装画，半年之后每个人都有可能成为时装画的高手。

当然，学习时装画不仅仅要多练，还要学会思考与观察。在生活当中，我们可以通过观察身边的服装面料来提高自己的绘画造型能力。比如一件呢料外套，通过观察我们可以总结出它挺阔厚重、褶皱简练的面料特点，这样我们就可以用大块面铺色和使用较为干练的笔法来表现它。画任何一幅时装画之前都要认真思考，仔细分析人体的动态、整体的外轮廓、服装的细节、头部的刻画、手脚等细节的处理，只有做到下笔之前成竹在胸，才能够将画笔落到实处。

在如今的招聘中，大多数设计师的岗位都要求有较强的手绘功底，手绘功底的好坏在某种程度上能够反映出一个人的美术修养以及对产品的表现能力。对于一个手绘功底不好或者根本就没有手绘基础的人来说，很可能就会失去一次从事服装设计工作的机会，即使对服装设计有着无比的热爱，也会因为手绘功底差的原因而放弃从事这一职业。

本书的内容主要针对学习服装设计的学生和服装设计的爱好者，尤其是学习时装画的初学者，通过细化的绘画步骤和循序渐进的章节安排，为读者提供了一个较为实用和可靠的服装画学习指导，并在练习实践中为大家提供了一些关于时装绘画的小技巧，力求让初学者在较短的时间内就能成功地绘制出精彩的时装效果图，将绘制时装效果图变为自身综合能力的一部分。在学习的起步阶段，可以模仿本书案例中的一些绘画风格或临摹他人的作品，这是初学者学习的有效途径。希望大家能够从中得到一些收获与启迪。

目录 contents

策划/编辑

策划编辑 姚明英　执行编辑 佘战文　美术编辑 李梅霞

第1章 从时装速写开始

时装速写因其快速简洁的表现形式，已经成为每一个服装设计师必备的专业技能，同时它也是画好时装画的基础。本章通过对时间的把控制订了3个阶段的时装速写练习，即15秒快速表现、5分钟时装速写和30分钟时装表现。初学者通过这一章节的学习与训练可以较快地进入到服装绘画的状态当中，并且通过平时的练习和积累能够成功地从画时装速写过渡到绘制时装画。

- 了解时装速写
- 怎样快速表现人体动态
- 时装速写的基本步骤
- 时装速写的提升

1.1 时装速写基础知识

时装速写介于时装画和速写之间，它是一种在较短的时间内以简洁概括的线条和适当的色彩渲染为表现形式的服装绘画过程。时装速写可以视为时装画的雏形，大部分时装画也都是在时装速写的基础上演化而来的，并且有些精彩的时装速写本身就是一幅完美的时装画。时装速写的绘画工具十分简单，就是一支铅笔或是一支炭笔，结合画纸自身的肌理就能绘制出丰富多彩的时装速写。

时装速写不仅是服装设计师在平时工作中积累灵感与素材的手段，而且它也是设计师向顾客展示和交流自己创作意图的主要载体。对于刚刚接触服装画的初学者来说，它则有着更为重要的学习意义。通过对时装速写的练习，一方面能够帮助我们快速提高自身的绘画造型能力，准确地画出我们想要的服装效果；另一方面还可以积累我们的设计素材，并提高自身的艺术修养，使绘画基础能更快地与专业设计接轨。

此外，练习时装速写还能提高我们对时装画学习的信心，并能够始终保持对它的兴趣。通常画好一幅时装画的难度远高于画一幅时装速写，任何事物的学习都有着一个循序渐进的过程，作为初学者不可能一开始就去画那些复杂的时装画，如果过于着急很有可能挫败信心，容易让我们的服装画学习半途而废。人们常说“兴趣是最好的老师”，只有始终保持对时装画的热爱才能够画好时装画。现在社会最注重的就是体验，画时装速写的过程就是一个非常享受和快乐的创作体验，不管你之前是否接触过绘画，但在时装速写中每一个人都能够见证一张空白的画纸随着自己手中的画笔划动所呈现出的精彩。

在画时装速写时需要掌握一定的绘画方法，总结起来就是由简到繁、由易到难，也就是有步骤、有规律地去做速写练习。本章就是按照这个规律来编排内容，先通过15秒速写练习迅速画出人体的基本动态，然后通过5分钟速写画出人体和服装的基本形态，最后通过半小时的刻画练习表现人体和服装的细节。通过反复的练习来强化这一作画步骤，最终使它成为一种习惯，这样就能够画出自己满意的作品，并能最终画出一幅精彩的服装画。

15秒和5分钟速写都是单色绘画，这样有利于快速表现，同时也是出于对初学者的考虑，从简单的开始进行教学，然后再过渡到后面30分钟的速写表现，体现更多的细节。

其实15秒速写、5分钟速写和30分钟速写所讲解的内容和知识点是一个循序渐进、适合初学者学习的过程。15秒速写着重人物动态的掌握，5分钟速写着重人物造型的拿捏，30分钟速写着重人物整体造型的布局和细节的取舍。

1.2 15秒时装速写表现

动态速写是指在极短的时间内准确地表现模特形体动态的一种造型练习。它是培养眼手合一的一种观察方法，也是学习服装画最为基础的绘画技法。练习时，首先要控制好作画时间，最好在一分钟内甚至十几秒或几秒内画出模特的动态，在这个练习中要尽量做到用笔概括，即用最为简练的线条勾勒出人体的大致轮廓。五官、头发等细节可以用线条一笔带过或忽略不画。因为这是一种训练方式，所以不要担心画得不好，准备更多的纸张去画就行。

工具准备： 铅笔、炭笔、钢笔、马克笔（任何可以作画的材料都可以），不过建议初学者用4B以上的铅笔或比较软的炭笔来练习，另外还需要准备A4复印纸。

练习方法： 从时尚杂志中将你认为比较有感觉的模特的形体动态找出来，用15秒左右的时间尽可能准确地表现出来。如果你用电脑查看素材，可以把图片查看软件设置为随机定时播放，这样就可以利用电脑来控制你的练习时间。如果你感觉时间实在是不够用的话，可以适当调整作画时间，但要尽你的最快速度去画。在这个阶段可以为自己制订每天画20个人物动态的练习计划。

练习技巧：

第1点：初学者可以先学习一下本书第3章里讲解的人体的基本结构知识，了解人体的比例，然后仔细观察要画的模特的动态，在头脑中安排好模特的“头身比”，概括出人体的体块形状，将人体动态记在心中。

第2点：先画出头部、脊椎线和肩线以确定人体的基本动态，这也为画其他部位提供了参考。

第3点：运笔时尽量做到手中的画笔不离开画纸，这样做可以节约时间。画笔从上往下，利用流畅简练的线条画出模特的轮廓。

第4点：在作画的过程中要始终保持整体意识，不去过多纠结动态中的细节。

第5点：尽量在规定的时间内完成练习。完成之后把一天内所画的所有动态摆放在一起，分析存在的问题和不足，然后用笔把问题写到画的旁边并注上作画日期，这样做不但可以为以后的练习提供改进的借鉴，还可以督促自己每天坚持练下去。

■ 练习范例

① 画一个近似于鸡蛋形状的头部，根据头宽确定肩膀的宽度（两个头宽=肩宽），注意肩膀倾斜的角度和朝向。肩膀的倾斜角度和朝向在整个动态中起着重要作用，肩膀在很大程度上决定着人体的动态和姿势。

② 画好了头部和肩部，再画出人体的躯干部位和手臂，注意手臂摆放的动态和前后手臂的透视关系。

③ 在服装画中，人体的基本动态表现出来后，就可以为人体绘制服装了。这个案例中模特没有露出腿部，着重表现礼服的裙摆，直接用长线条轻松有序地画出裙摆的基本形状即可。

④ 人体和服装的基本形态完成后，就为服装添加样式花纹，这样既快速简练又有一些细节表现。

■ 练习示例

1.3 5分钟时装速写表现

在短时间内迅速抓住人体动态的基础上，我们开始进一步的速写练习。在5分钟速写练习中，不仅需要表现出准确的人体动态，还要有一定的细节表现。从现在开始就可以尝试将自己感兴趣的地方刻画出来，如人物精致的五官，或是像手一类的局部细节。通过这一阶段的练习可以锻炼基本的表现能力，并且还能训练我们对一幅画的整体把控能力。

工具准备： 铅笔、炭笔、钢笔、马克笔等绘图工具均可（如果想要增强画面效果，可以运用水彩、马克笔等为其进行简单的上色），另外还需要准备橡皮、A4复印纸或8K素描纸。

练习方法： 选择几张有细节的时尚图片，在5分钟内完成一幅速写，练习人体正面、侧面、坐姿、弯腰等多种姿态，并试着着重表现五官和服装的细节。为了更好地控制时间，可以一边听音乐一边练习，尽量在一首歌曲结束之前完成练习。在这个阶段，大家可以为自己制订每天画10幅人物速写的练习计划。

练习技巧：

第1点：学会利用肩线、腰线、中心线等一些辅助线来确定头、手、躯干以及五官的具体位置。

第2点：表现具体形态时，要做到线面结合运用，用线条勾画出外轮廓，用块面表现具体的结构。

第3点：运用立体观念来画图，通过线的虚实变化和明暗对比来强调人物的透视空间感。

第4点：通过听音乐来为练习创造一个愉悦的绘画环境，随着音乐旋律的起伏改变运笔的节奏，这样做可以使我们的作品有意想不到的效果。

■ 练习范例

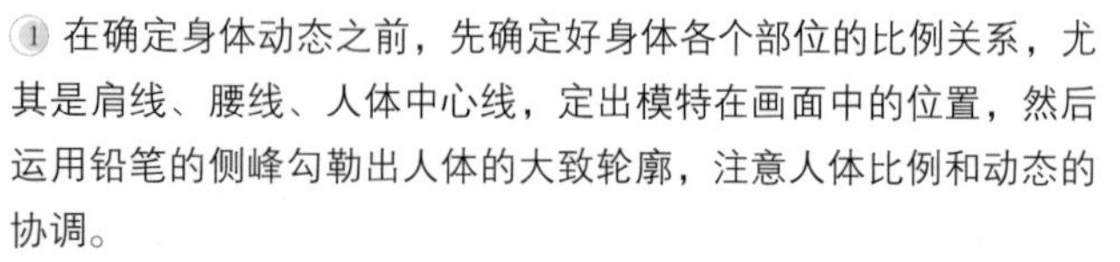
① 在确定身体动态之前，先确定好身体各个部位的比例关系，尤其是肩线、腰线、人体中心线，定出模特在画面中的位置，然后运用铅笔的侧峰勾勒出人体的大致轮廓，注意人体比例和动态的协调。

② 基本形态确定后，按照从上到下的顺序从头部开始进行比较细致的轮廓绘制，注意发型的表现和发片的分布。

③ 利用铅笔的侧峰，顺着线条走向表现出五官和头发的具体结构及形状，并对五官做进一步的刻画。

④ 本幅作品中的人物怀抱着一只兔子，首先画出人物的手臂与手中兔子的空间关系，再进行简单的刻画。不要过于刻画兔子的细节，要预留一点空间对画面的整体进行调整。

⑤ 人体的动态表现得差不多了，再利用线条画出服装的基本廓形。

⑥ 刻画服装以及身体的细节，最后利用一点时间进行整体调整。

■ 练习示例

1.4 30分钟时装速写表现

30分钟时装速写表现练习是从时装速写过渡到时装画的一个重要阶段。练习时要考虑到比例、形体的组合、结构、画面主次、质感表现等多方面的因素，所以整体意识是这个阶段的核心内容。整体承载细节，细节构成整体。

工具准备：铅笔、炭笔、彩色铅笔、马克笔等，A4复印纸或8K素描纸。

练习方法：选择自己喜欢的时装图片，最好选择全身像，这样有利于我们练习整体表现，然后在半小时内完成一幅时装速写。练习时可根据自己的喜好对人体进行夸张变形，但同时又要符合人体比例以及动态变化的规律。在这个阶段为自己制订每天完成1~2幅速写练习的计划。

练习技巧：

第1点：认真观察动态，用大体块概括出模特的基本动态。

第2点：结合人体结构知识，尽量多用“辅助线”概括结构与形体。

第3点：善于利用线面结合的方式去表现画面，特别是对铅笔侧峰的运用。

第4点：眼睛与画纸之间的距离不要太近，要时刻将画板放远观察整幅画面，并利用橡皮做出修改调整。

■ 练习范例

① 确定好人物各个部位在纸面上的比例和位置，尤其是关节处；勾勒出人体动态的大体轮廓，可以画出人体肩线、腰线、重心线作为辅助线。

② 基本的人体比例和动态画好后，从头部开始进行比较细致的轮廓刻画，包括脸形、发型以及服装造型。画完后，要对线稿进行检查，并进行细节调整，人物动态和服装结构要准确。

③ 在确认人物动态和服装结构没有问题后，就可以开始为其上色了。本幅作品用彩铅进行上色，先从头部的五官开始着色，然后顺着发片的分布和走势画出头发，注意留白作为高光，不要把头发完全涂满颜色。

④ 选择外套的固有色，采用平涂的方法为外套着色，然后选择深一点的颜色画出外套上明显的阴影。

⑤ 继续完善服装的颜色，并画出服装的细节，通过笔触和阴影的刻画表现出服装织物的质感和层次感，处理好外套与内衬打底裙的前后关系。

⑥ 表现人体的四肢和配饰部分时，人体的腿部类似于圆柱，只有轻微的肌肉起伏，要通过阴影的刻画着重表现它的体积感；而饰品起点缀的作用，点到为止就好。当然，根据人物造型和画面风格的需要，也可以将饰品进行夸张表现。

■ 练习示例

第2章 时装效果图的绘画工具

“工欲善其事，必先利其器”。绘画工具的熟悉与掌握对画好服装画至关重要。不同的绘画工具和材料的运用会产生不同的视觉效果。每一种绘画材料都可以相互影响并相互补充其自身的不足，在以水彩、彩色铅笔、马克笔为主要绘画工具的基础上配合其他材料的运用，可以让画面效果表现得更加丰富多彩。绘画的时候，一个舒适的环境在某种程度上也会影响绘画的质量，所以在画时装画之前一定要选择一个理想的环境，准备好自己要用的工具和材料，再开启你的时装画之旅吧！

- 熟悉基本工具
- 水彩的简介及使用方法
- 马克笔的简介及使用方法
- 彩色铅笔的简介及使用方法
- 油画棒和色粉笔的简介及使用方法

2.1 基本绘画工具

画纸：A4复印纸可以作为绘画用纸的首选，因为它的价格比较便宜，适合平常大量的绘画练习。8K大小的素描纸和水彩纸可用来画更为深入的作品。素描纸和水彩纸都有平滑的一面和有纹理的一面，平滑的一面更有利于画一些较为细腻的作品，用有纹理的一面绘制的作品则更有肌理效果，画面更有风格。在纸张的选用上应尽量选择较厚的画纸，画水彩画的时候薄纸容易起皱。此外还可以用各类品牌的纸试验绘画效果，进行比较后选择最适合自己的画纸。

铅笔：最好选择比较软的绘图铅笔，因为比较硬的铅笔很容易划破画纸，并且不容易用橡皮修改。作画时不要只用一支铅笔从头勾到尾，这样不好控制画面效果。可以把铅笔削成各种样式，比较尖、比较细的放在画细节时用，粗细适中的放在画草图时用，比较粗的放在上色时用。此外，不同笔峰的效果也要多加练习，用中峰表现更有力度，用侧峰表现则更随和。画的时候要做到随画面的变化自由地变换铅笔的笔峰。

橡皮：准备一些比较软的橡皮，因为硬橡皮特别容易划破画纸。通常情况下，硬橡皮只是在给画面提高光时使用。橡皮泥（可塑橡皮）则是一种非常好用的涂改工具，使用橡皮泥不会留下碎屑，更能保持画面的清洁，且不容易划破画纸。

胶带：在画水彩画的时候用胶带固定画纸的四边，可以有效地避免纸张遇水后变皱，并且利用胶带还可以对画面进行修改，用胶带粘贴、修改之后会有意想不到的效果。

削笔器：在使用彩色铅笔作画时，最好多准备几个削笔器，因为削彩色铅笔的频率比较高，且彩色铅笔的芯比较软，如果用钝刀容易削断铅笔。

餐巾纸：在作画时身边不能少了餐巾纸，餐巾纸不但可在画水彩的时候吸掉画面上多余的水分，还可以涂抹铅笔的笔触，让画面更加细致。

此外需要准备好画板、画架、笔洗、垃圾筐、喷雾定画液，有条件的还可以准备拷贝台、扫描仪、打印机、相机等工具。

2.2 常用工具介绍

2.2.1 水彩

■ 水彩简介

水彩作为一种比较常见的绘画材料，一直深受插画师们的喜爱，其清新淡雅的视觉效果总能让人产生无限遐想。水彩具有透明度高、色彩易重叠的特性，画法有干画法和湿画法两种。

■ 使用说明

干画法是指先涂一层颜色，待这层颜色干了之后再涂第二层颜色，这样一层一层重叠涂色。干画法由于层层重叠，会产生丰富的重叠效果，表现出的效果也更真实。在用干画法上色时要根据效果控制涂层，不可过多重复，以免色彩变脏失去水彩的透明感。在干画法中有一种枯笔画法，就是水彩笔中包含的颜料多水分少，在运笔时就会在画面中产生飞白，这种枯笔画法可以运用到服装的高光处。

湿画法是指先将画纸浸湿，在水分快要干的时候重叠颜色，比较常见的中国水墨画在湿画法上就有非常多的展现。湿画法具有流畅、透明与轻快的特点，其晕化、渗透的绘画技法可以让画面更加自然与柔和。湿画法在水分的把握上要经过长时间的练习才能够驾驭，初学者不易掌握，水分多一点或少一点都会产生不同的效果。

此外水彩还有着蜡法、撒盐法、刀刮法、洗涤法、滴水法等特殊技法，并且可以结合油画棒、水溶性彩色铅等其他材料一起运用，通过对各种方法的实验与尝试，能够获得更多的表现效果。

干画法

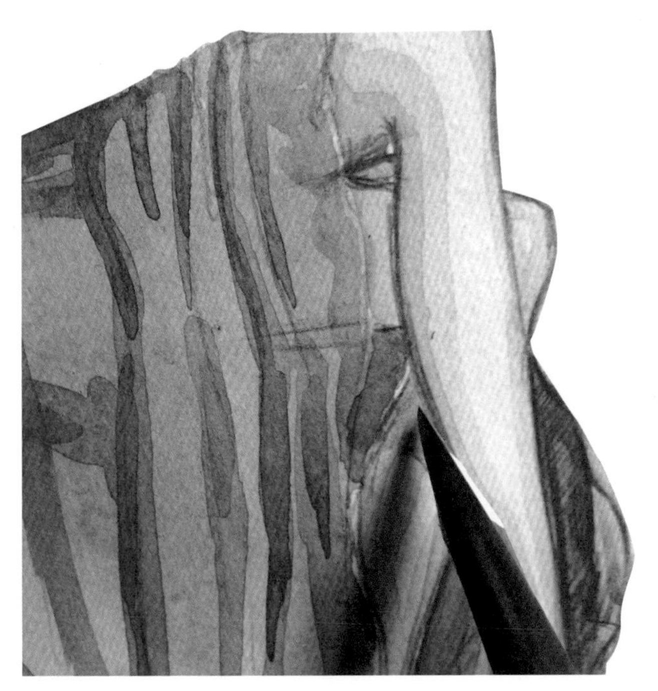

撒盐法

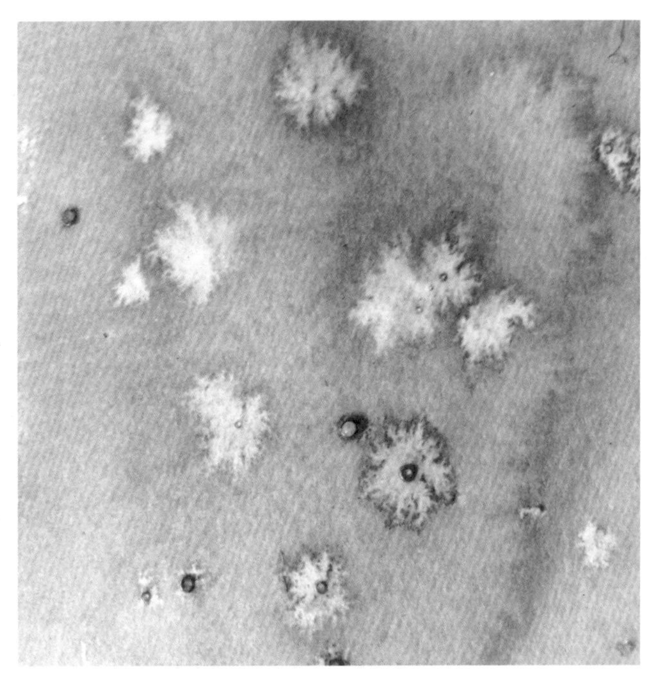

干湿结合画法

湿画法

着蜡法

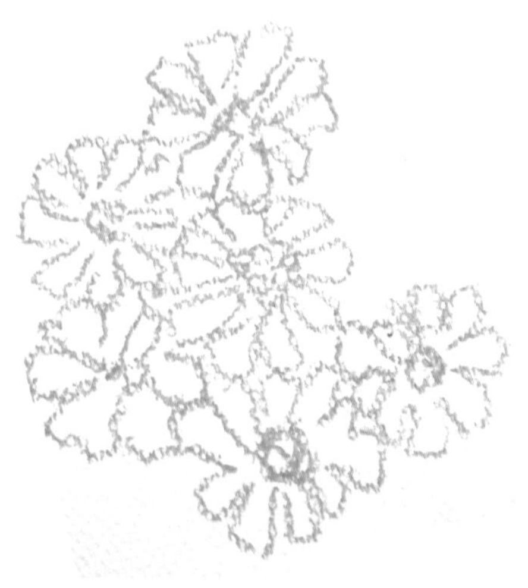

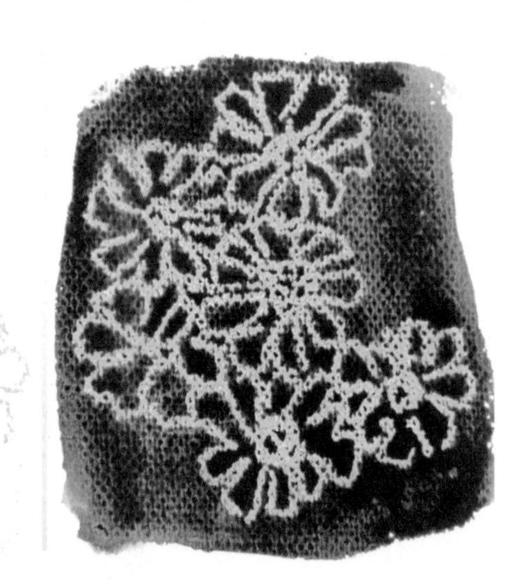

晕染法

洗涤法

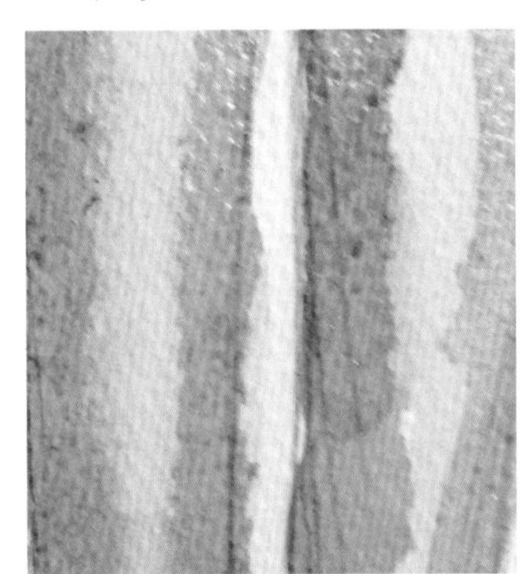

留白法

水彩绘制的时装效果图

2.2.2 马克笔

■ 马克笔简介

在平时的工作中，马克笔是一种比较常见的绘画工具，它不会因工作环境等因素而受到限制，只要手中有纸和笔就可以进行绘画创作。马克笔使用方便、清洁，色彩丰富且有极强的表现力。

■ 使用说明

马克笔具有易扩散、易挥发的特点，使用马克笔时要特别注意画纸的选用和操作的技巧。在选择画纸时要选择吸水性差、纸质密度大、表面光滑的纸张作画。由于马克笔具有易扩散性，会产生渗透，所以颜色干了以后色差比较大，在绘画前最好在不同的画纸上尝试作画效果，也可以在绘画时准备一张相同品质的画纸作为试色纸，边画边试色。有条件的话可以将绘画线稿复印一份，以防马克笔渗色超出自己预期的效果。

在运笔时要尽量做到用笔干练、迅速，上色排线不要有过多的回笔和反复的重色，应该以大排线和大体块为主。在作画前可以利用一张纸来练习排线，通过先练习画服装中的某一个局部来掌握马克笔的性能。

马克笔作画的步骤一般是先用铅笔画草图，然后用针管笔以线描的形式画出具体形态，再用马克笔上色。先上浅颜色，再上较重的颜色，因为马克笔覆盖性差，淡色无法覆盖深色。运笔的过程中次数不宜过多，在第一遍颜色干了之后再画第二遍颜色，以免造成色彩浑浊。可以运用排笔、晕化、点笔、留白等方法灵活表现画面效果，此外还可以结合彩铅和水彩混合使用。

排笔法

混合排笔法

渐变排笔法

长排笔法

条纹排笔法

点笔法

晕化法

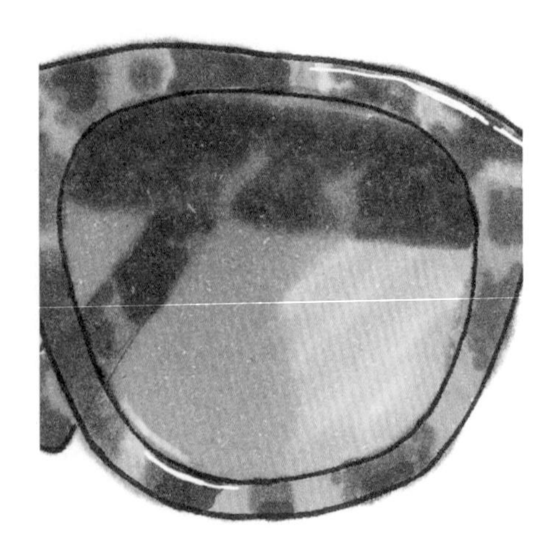

留白法

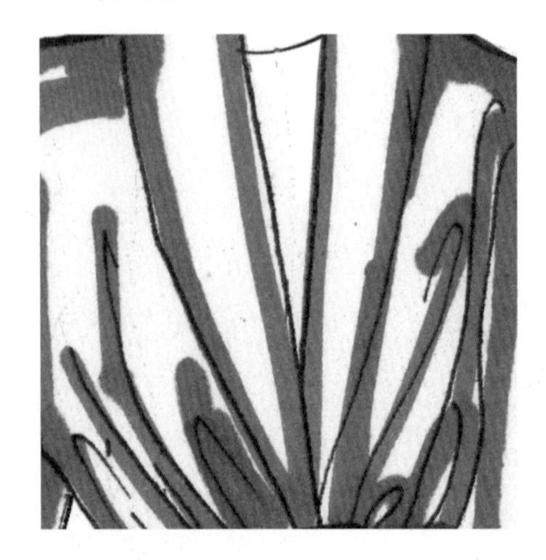

马克笔绘制的时装效果图

2.2.3 彩色铅笔

彩色铅笔简介

对于从小习惯使用铅笔的读者来说，彩色铅笔是一种非常容易上手的绘画工具。用彩色铅笔作画是一个无限重叠、覆加的过程，可以根据自己的需要花很长的时间来刻画细节，并且可以利用橡皮辅助进行反复的修改。彩色铅笔很适合作为深入刻画的工具使用。

彩色铅笔有两种，一种是水溶性彩铅，另一种是不可溶性彩铅。为了更好地绘制作品，建议大家选用水溶性彩铅，因为它容易上色并且可以溶于水，加入水之后会产生晕染的效果，而且色彩更加鲜艳漂亮，还可以结合水彩来使用，所以水溶性彩铅具有更强的表现能力。值得注意的是要多备几个转笔刀，因为水溶性彩铅比较软，刀片如果钝的话容易折损笔芯。

使用说明

用彩色铅笔作画，基本上与用铅笔作画是一样的，都是利用排线的手法来表现画面效果。作画时通常先用大排线铺设主色调，然后用小细排线刻画局部细节。铅笔的中峰一般用来画外轮廓线，侧峰一般用来表现形体结构。注意不要用笔尖反复用力刻画细节，这样容易损坏画纸且破坏画面效果。此外还可以利用不同的排线来丰富画面效果。用彩铅铺好色后用毛笔蘸水轻轻扫过，彩铅的笔触就和水溶到一起了，等到画面干后可以再用排线压一下。

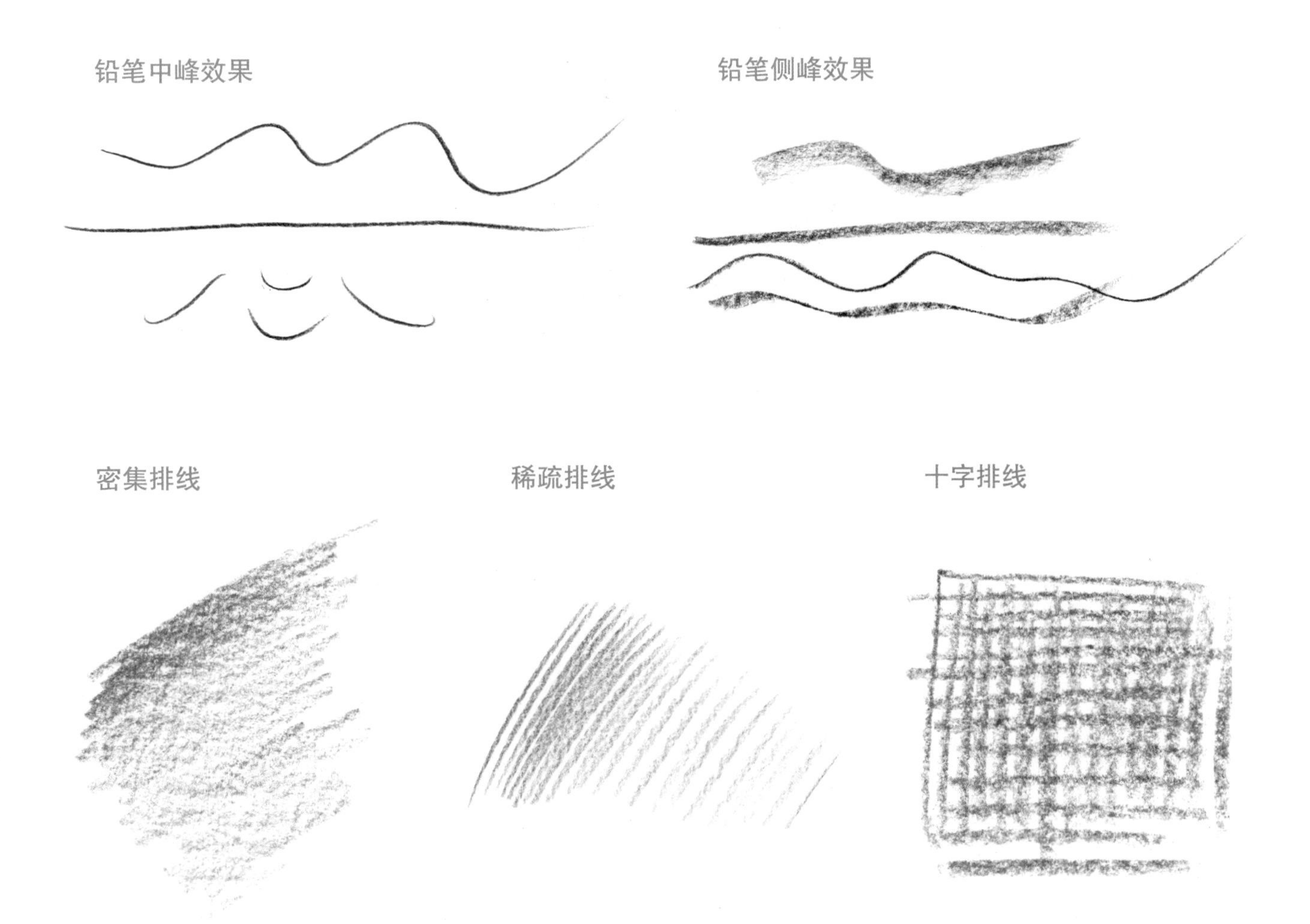

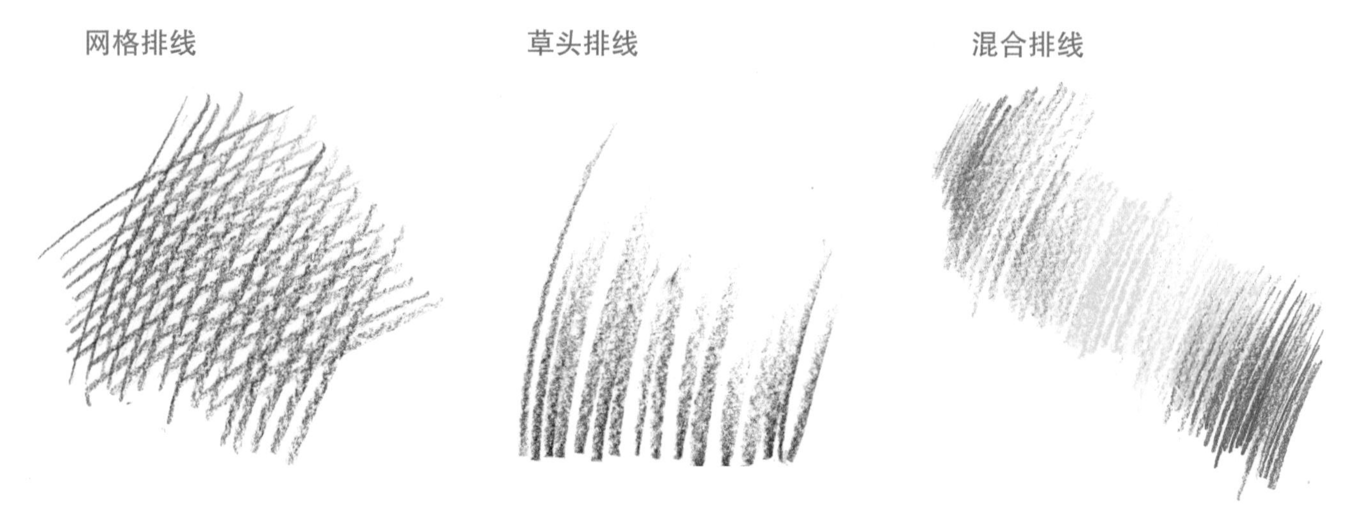
网格排线
草头排线
混合排线

彩色铅笔绘制的时装效果图
2011.7.19

2.2.4 油画棒

■ 油画棒简介

油画棒看上去像蜡笔，但它的色彩比蜡笔更鲜艳，覆盖能力和吸附能力更强，具有非常强的混色效果，并有丰富的画面肌理感。油画棒经常作为儿童绘画启蒙的工具，所以油画棒在服装画中的运用会让画面显得更有童趣，也更有绘画的涂鸦感，艺术可视性更强。

■ 使用说明

在绘画中可以运用点彩法、刮出法、混涂法等绘画技巧，还可以运用它和水的特殊反应来与水彩一起混合使用。

点彩法

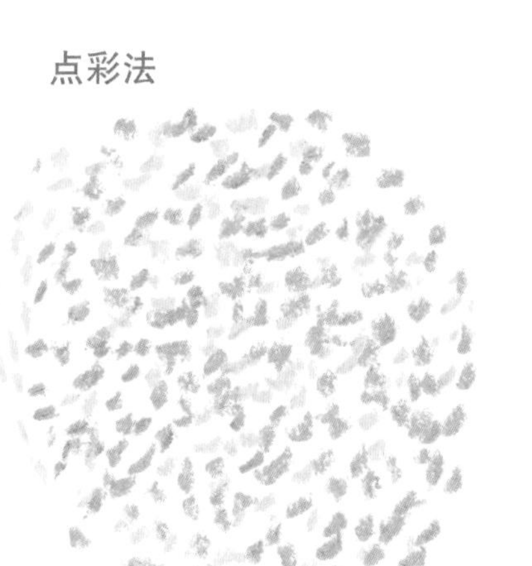

刮出法

混涂法

油画棒绘制的时装效果图

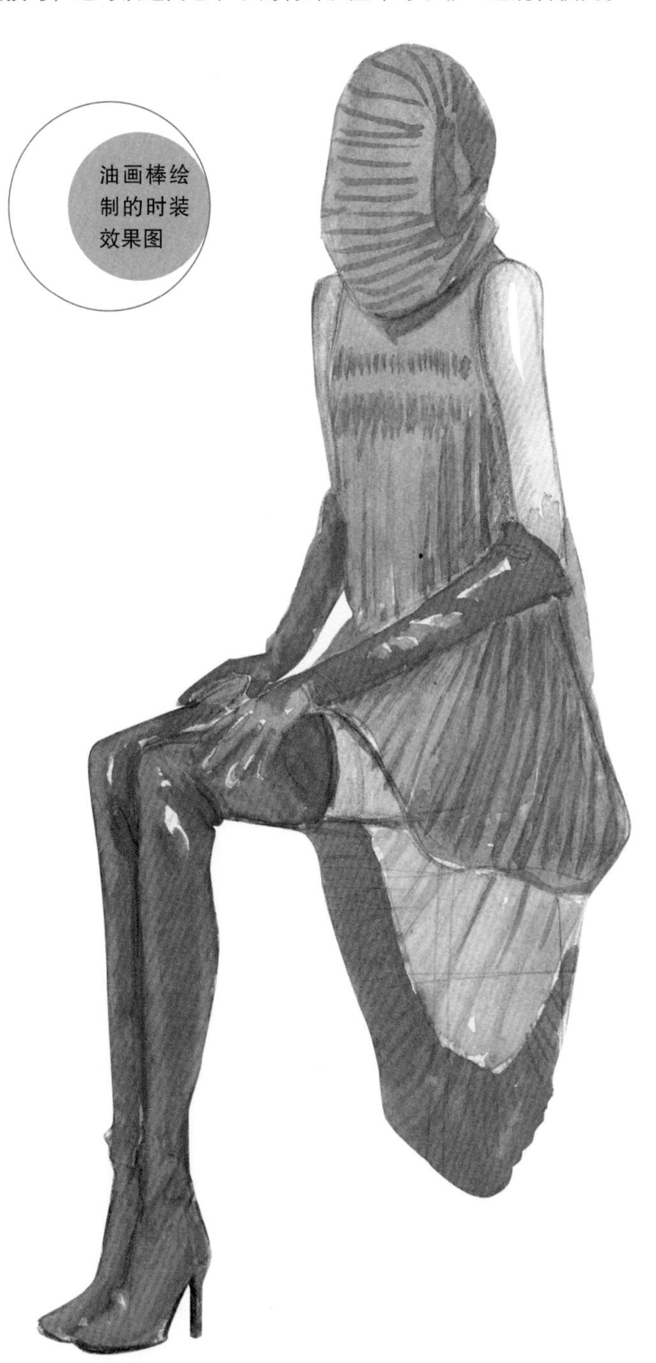

2.2.5 色粉笔

■ 色粉笔简介

西方古典绘画大师们经常运用色粉笔来绘画，伦勃朗、荷尔拜因、门采尔等大师都有很多精彩的作品值得学习和借鉴。色粉笔具有较强的覆盖能力，能够在深色纸上作画，还可以为作品提高光。

■ 使用说明

在用色粉笔绘画时可以用小刀把色粉笔削成粉末，然后用手指或餐巾纸蘸着粉末在画纸上涂抹与调和。此外，不同材质的纸张可以决定作品的不同肌理，因此可以尝试着在特殊材质的画纸上作画，可能会产生意想不到的效果。由于色粉笔自身吸附力比较差，所以要注意作品的保存方法。喷定画液的话会将粉末喷散，所以对这类作品最好是用透明薄膜覆盖或装入玻璃框内保存。

排线涂抹

色粉笔绘制的时装效果图

第3章
服装画人体基础知识

人体是服装的载体，在学习服装画时最基本的一点就是要将人体的动态画好。通过表现出色的人体动态来烘托自己的时装设计，从而表现出服装的最佳艺术效果。

- 服装画人体基础知识
- 服装画人体动态表现
- 服装画人体局部表现

3.1 人体构成

问： 面对复杂的人体应该如何下笔？人体到底应怎么来画？怎么理解更简单？

答： 复杂的人体可以概括成简洁的几何体，头部可以看成是一个球体，脖子可以看成是一个圆柱体，胸廓看成梯形体块，骨盆也可以看成梯形体块，四肢可以看成是圆柱体。人体的基本构成可以总结为：一竖、二横、三体、四肢。

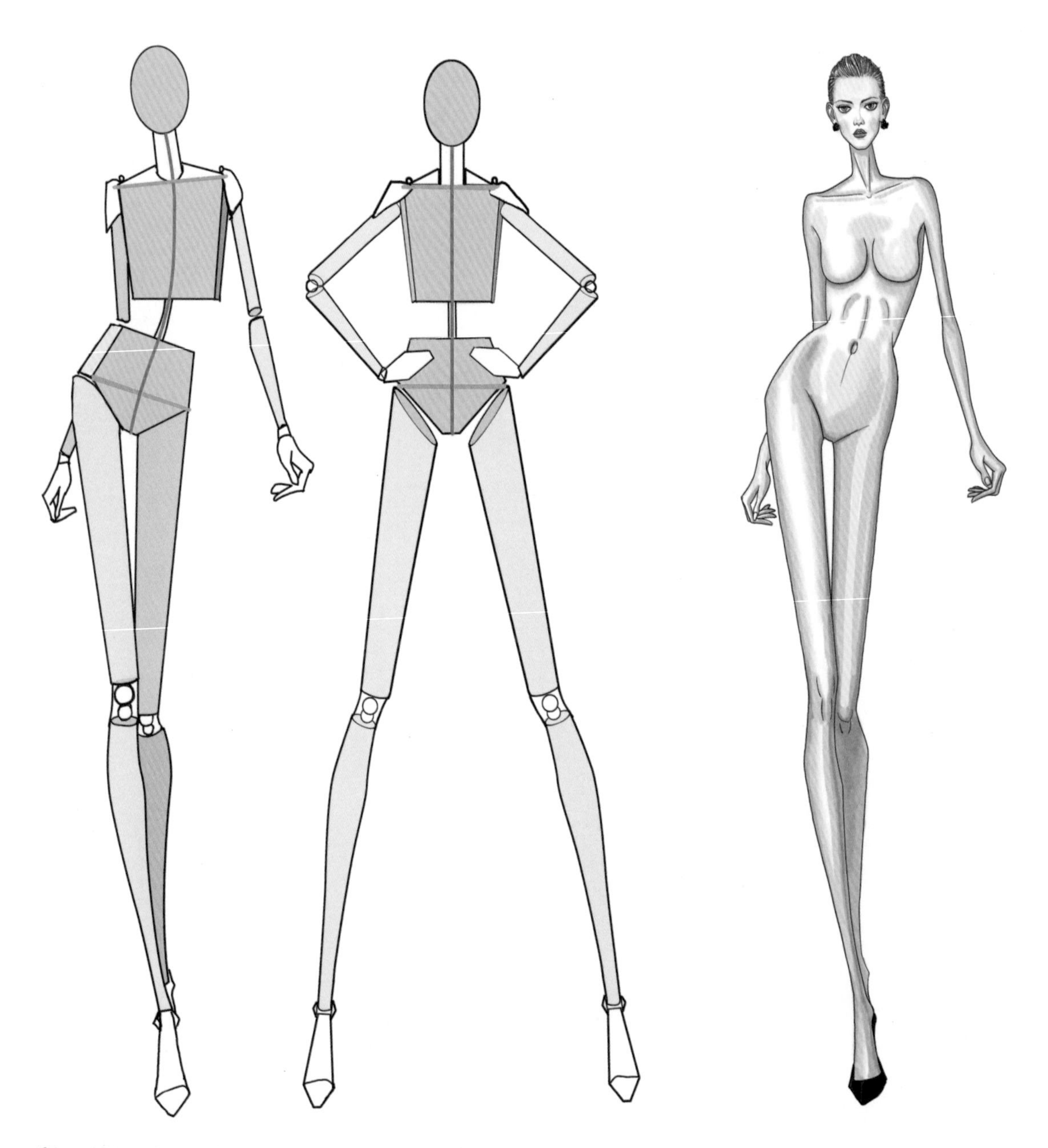

一竖： 脊椎连接头、胸廓、骨盆，是人体运动的重要枢纽。在人体直立时，从正面与背面看脊椎是笔直的，这就像书法正楷中的“一竖”。当人体处于运动的状态时，脊椎就像弹簧一样前后左右都能扭动，带动脖子和腰部的扭动就产生了优美的人体曲线。

二横： 人体肩点之间的连线称为肩线，两个胯骨点之间的连线称为臀线。人体直立时肩线与臀线是平行的，在人体运动时肩线与臀线会产生角度。在服装绘画中“二横”的体现尤为明显，模特在时装台上每走一步，“二横”都会变化一次。

Tips

服装画的人体绘制中要注意“二横”的特点，特别是表现动态时人体肩线与臀线一定不能是平行的，“二横”的延长线必定会相交于一点。

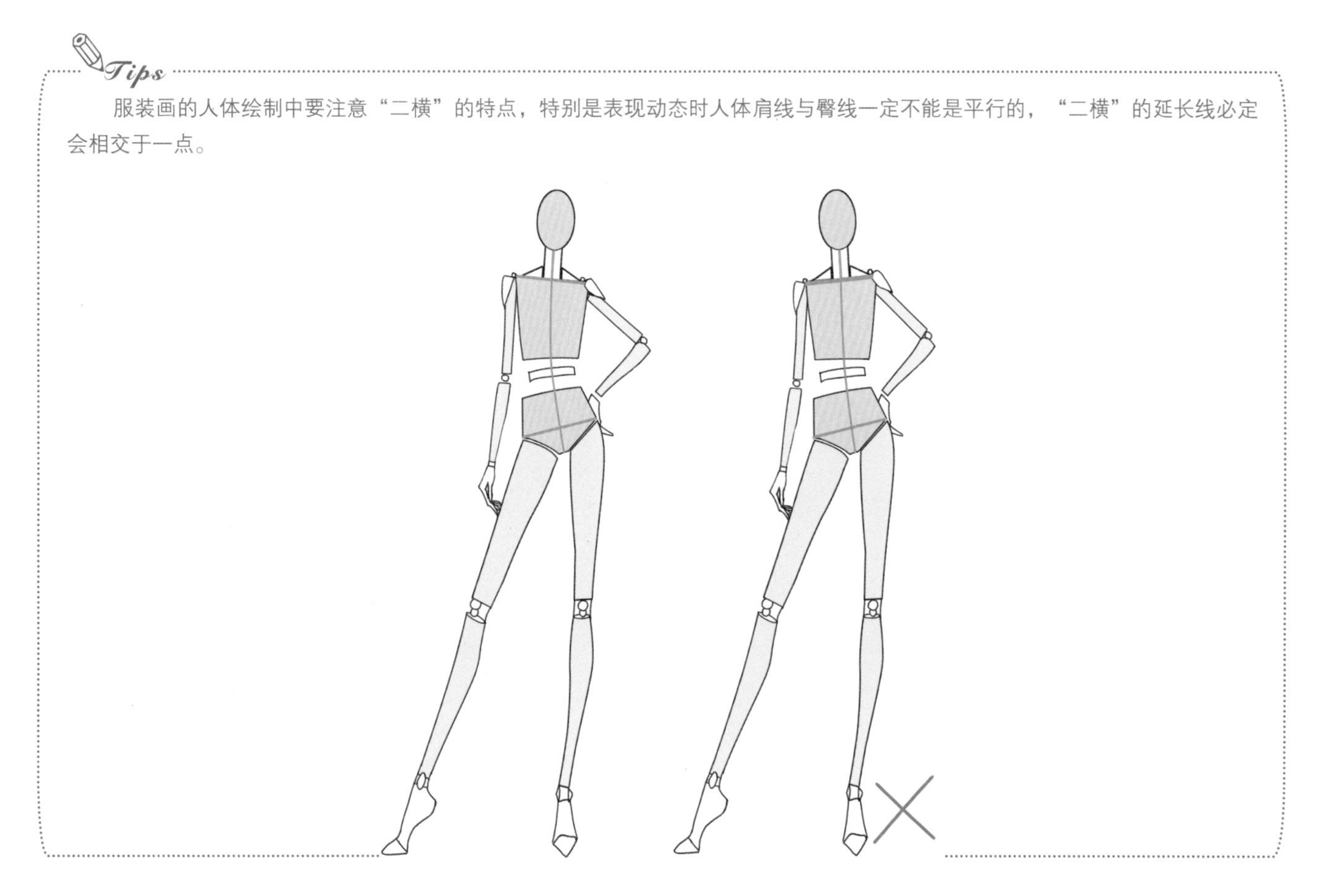

三体： 头、胸廓、骨盆三大体块通过脊椎的连接构成了人体的躯干。胸廓与骨盆的倾斜与扭动要遵循“二横”的运动规律。“三体”的表现确定了人体的基本动态。

四肢： 上肢和下肢是人体最灵活的部位，也是人体活动与运动中变化最多的部位。

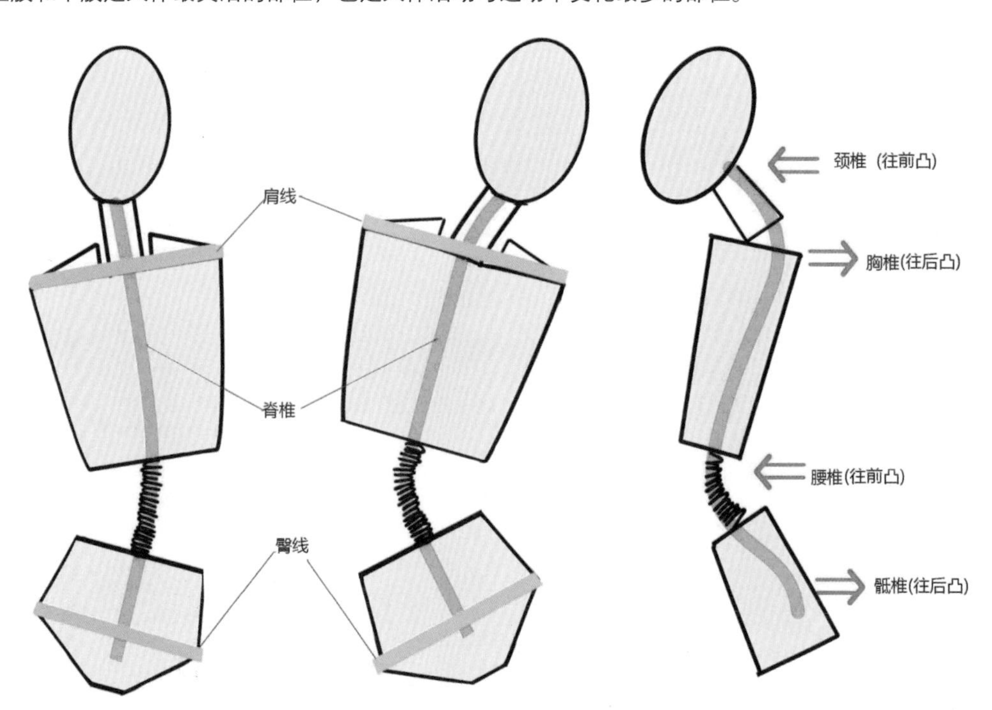

3.2 人体比例

问： 为什么有些服装画是9个头高，有些是10个头高？哪一个是准确的？

答： 服装画中的人体比例大多采用9个头高甚至更高的人体比例，风格因人而异，有些采用低于正常人体比例的服装画也同样很有特色。每个人可以按照自己的习惯与喜好来表现。

现实生活中的人体比例以自身的头高为长度单位来测量，中国人的比例高度为7个半头高，西方人为8个头高。在进行时装设计时，现实中的人体比例运用在服装画中显然令人不太满意。为了更好地突出服装，满足观众视觉上的审美需求，就必须通过拉长腿部长度或者更为夸张的艺术处理来表现服装画中的人体。

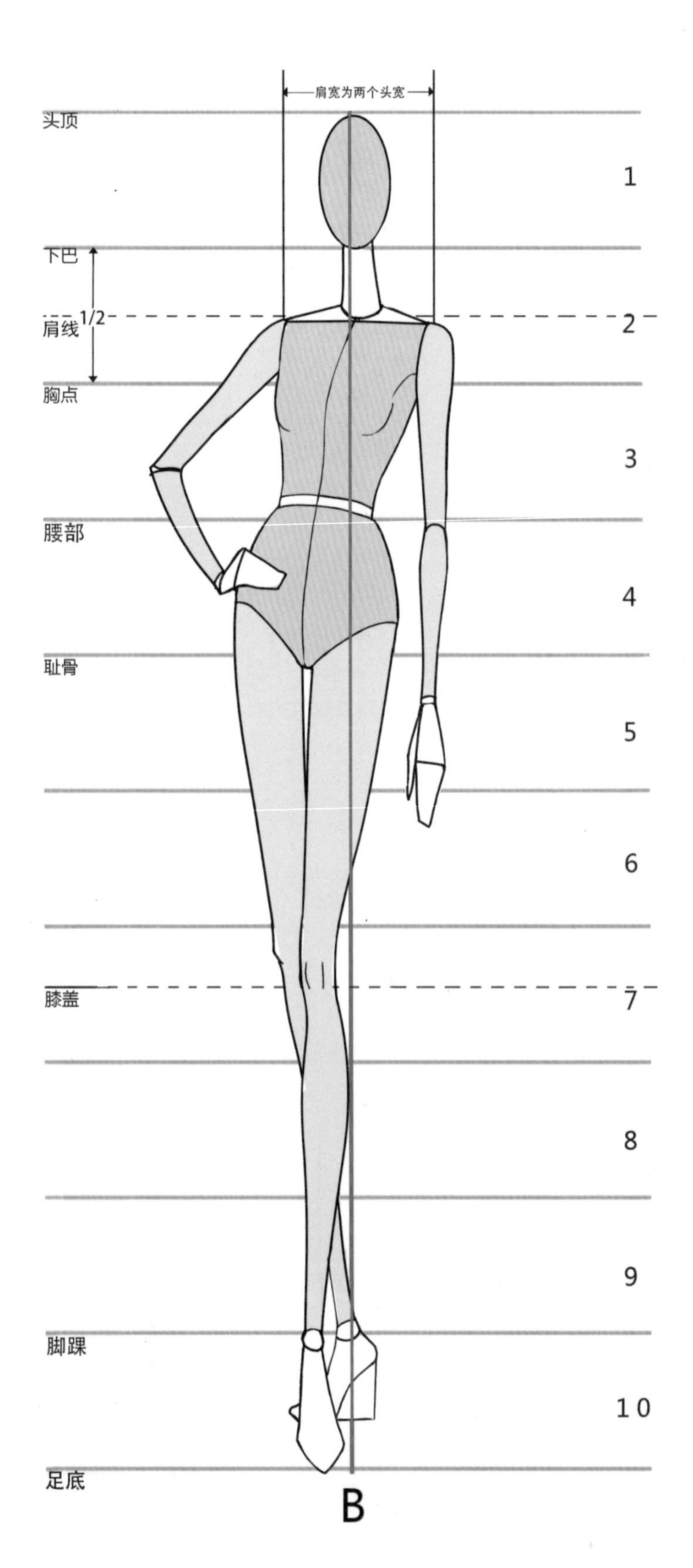

服装画人体比例划分： 本书的案例以10个头高的比例来分段。上身4个头高，下身6个头高。上身4个头高分别是：头部自身是一个头高，下巴到胸点一个头高，胸点到肚脐一个头高，肚脐到耻骨一个头高。下身6个头高分别是：女性脚穿高跟鞋时为一个头高，大腿和小腿为5个头高，小腿比大腿略长一些；在不穿高跟鞋的情况下大腿的长度和小腿到脚底的长度是一样长的。肩部的宽度是两个头的宽度，人体手臂自然下垂时，肘关节的位置到腰间与肚脐相对，这时手指到大腿中部的位置。

3.3 人体结构

问：面对人体表面的起起伏伏，哪里要画哪里不画？要画的地方又该怎么画？我们花了很多时间去练习，但未必能取得理想的效果，这是为什么呢？

答：原因是没有掌握人体内在的结构规律，纯粹从表面去模仿必然会走弯路，尽管平时很努力，但结果往往是事倍功半。只有了解人体内在的结构，才能下笔如有神，画出的人体动态才不会空洞。

骨骼决定人体的比例和人体的动态，在人体的运动中起到杠杆与平衡的作用。学习服装画要了解人体的一些重要骨点，骨点是骨面的转折点，是人体结构转折的重要体表标记，也是人体绘画重要的造型依据。

Tips

在服装绘画中，应当注意人体中没有一块骨头是笔直的，画的时候切忌把手臂和腿画得垂直僵硬。弯曲的骨骼更有利于表现人体的动感与韵律，并且能让画面更富有活力。

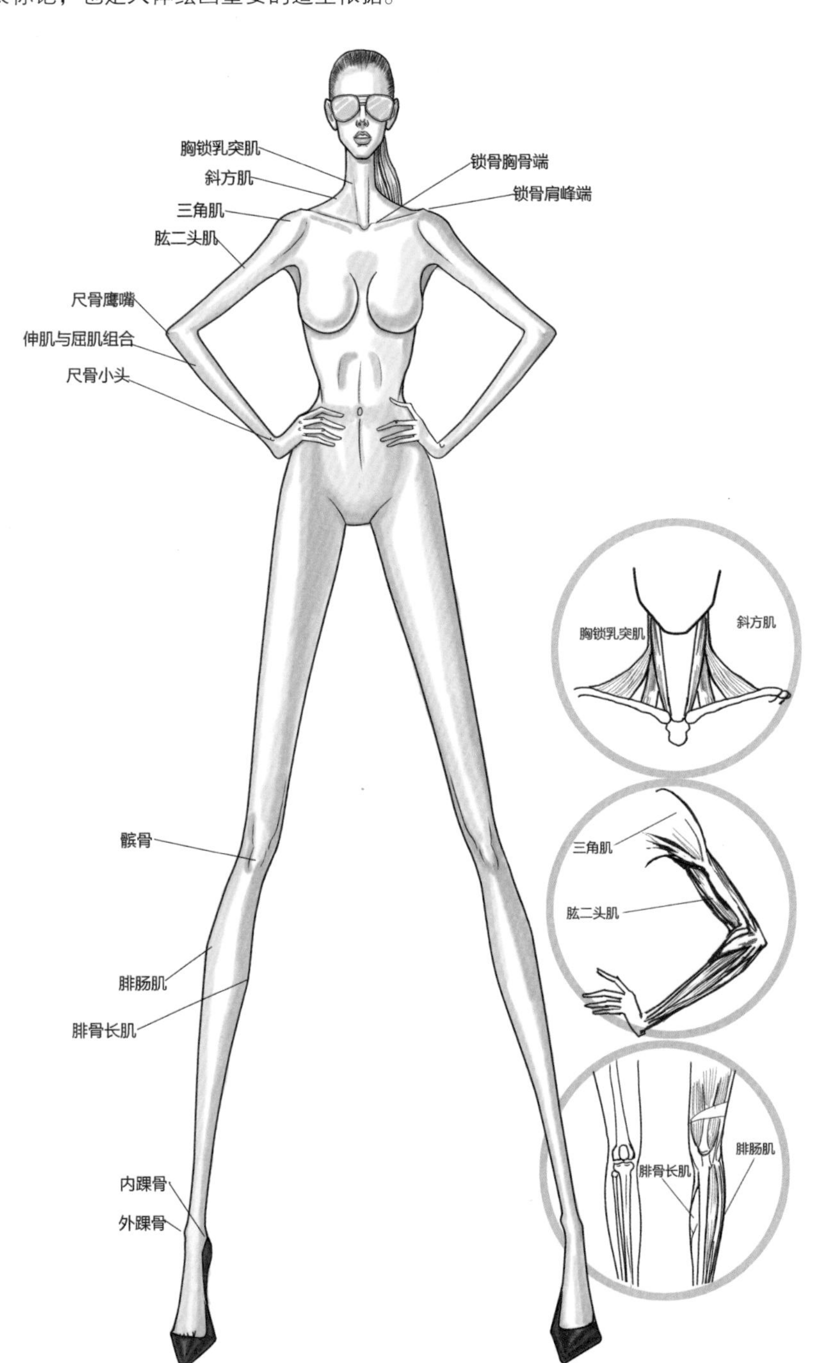

服装绘画中重要的骨点与骨骼：头部的额骨结点、颧骨结点和下颌角；颈部的第7节脊椎骨点；躯干部的锁骨以及锁骨与胸骨相连的锁骨胸骨端、锁骨与肩胛骨相连的锁骨肩峰端；脊椎骨肘部的尺骨鹰嘴和内外上髁；手腕处的尺骨小头；下肢的髂前上棘；膝盖处的髌骨和股骨内外上髁；小腿的胫骨和内外踝骨。

在骨骼的基础上填充肌肉，人体的形态就出来了。必须了解几块重点肌肉才能准确表现出人体。

服装绘画中的重点肌肉：服装绘画中应当注意这几块重点肌肉：颈部的胸锁乳突肌，连接颈部与后背的斜方肌，手臂的三角肌和肱二头肌，前臂的伸肌与屈肌组合，下肢的臀大肌，大腿的股内肌、股外肌和股二头肌，小腿的腓肠肌和腓骨长肌。

Tips

女性脂肪丰厚，所以骨点与肌肉都不是很明显，但也不能忽视肌肉对人体的作用，在画肌肉时应当注意肌肉的穿插与组合。

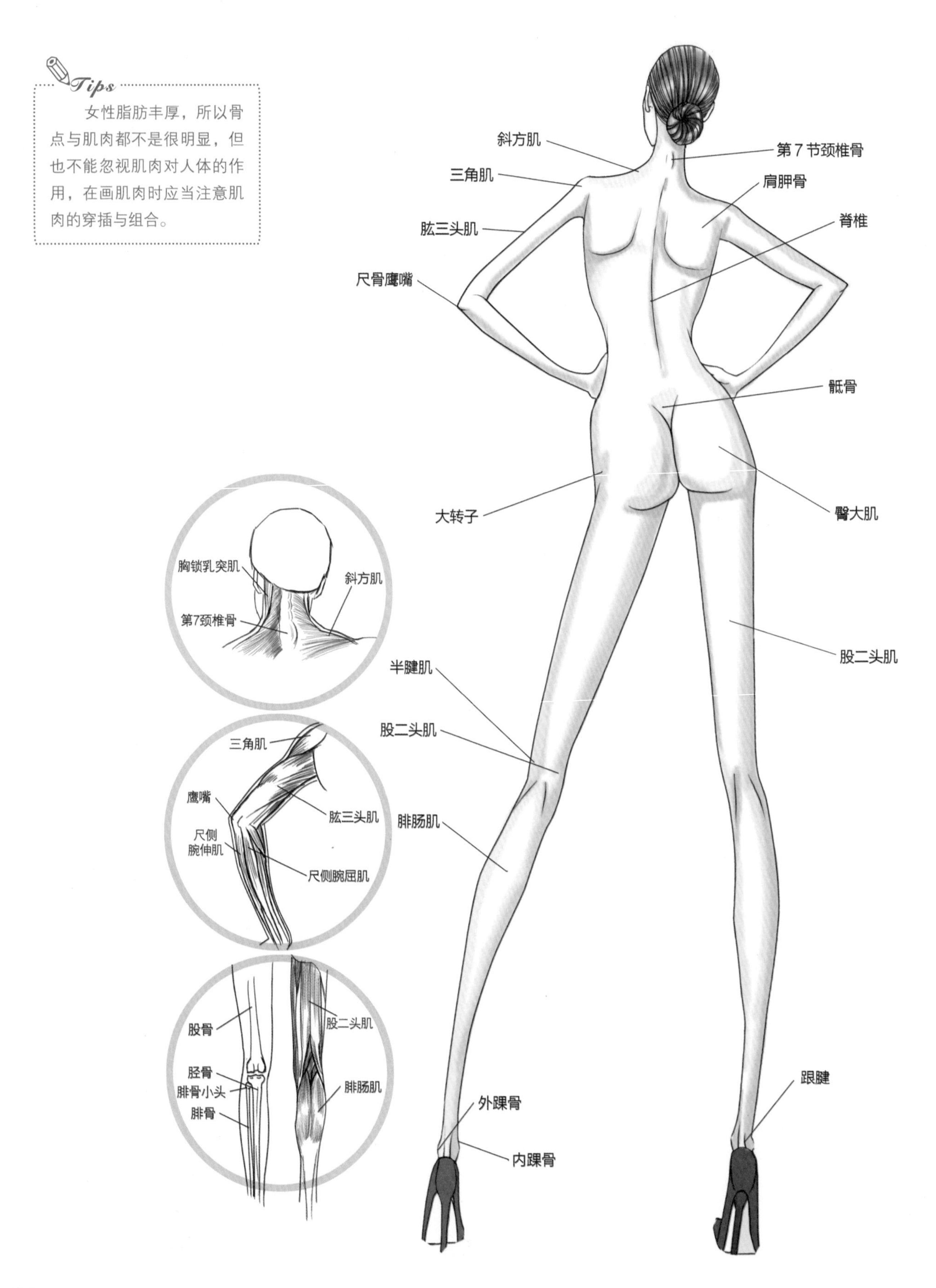

3.4 人体平衡

在画人体动态的时候，可能经常感觉所画的人体动态站不稳。尽管五官刻画到位、服装表现出彩，但是失去平衡后的作品效果会大打折扣的。

问：为什么会失去平衡呢？

答：原因在于人体失去了重心。

从运动规律上来分析，人体之所以站得稳，是由于重心稳定。一般来说人体的重心在肚脐上下的位置。人体三大体块的结构特点决定了人体的重量分布，这也决定了人体运动时必先扭动腰部。在达到了重量的均衡分配之后，人体就自然平衡了。

人行走的时候手臂总会一前一后地交替摆动，同手同脚的走路姿势会让人觉得很怪异。手臂的前后摆动就可以均衡人体的重量，从而补偿失去的平衡，在视觉上也能达到美的效果。人体在放松站立时，躯干的重心平衡点会落在一只脚上或两脚之间的位置。在下图所示的动态中，承受重力的脚应画在颈窝的正下方，同时承受重力一侧的骶部向上提起，骨盆向不承受重力的方向倾斜，肩部向承受重力的一侧放松。

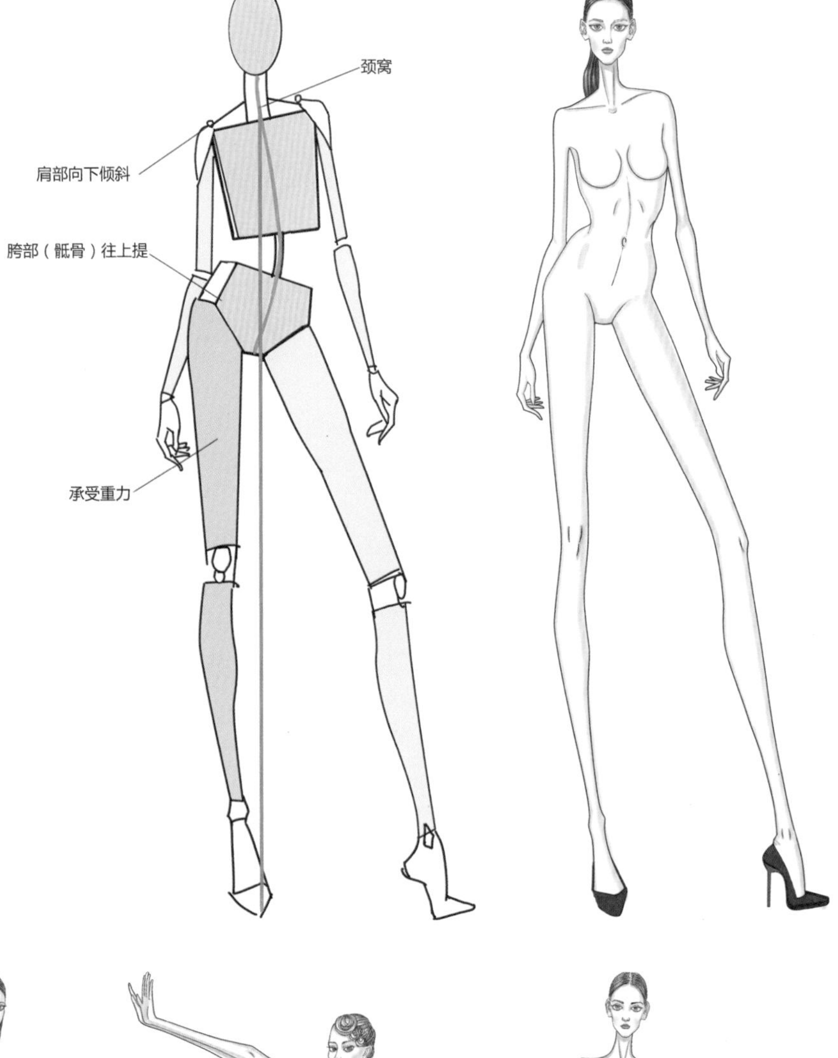

Tips
在画人体的动态时，可以画一条从人体颈窝垂直于地面的重心线来检查和矫正所画的人体动态是否准确。

3.5 服装人体动态表现

本书10头身人体的基本比例是1头长=1格，10个头长就是10格，在纸上画出10格就是10头身的基本比例尺。

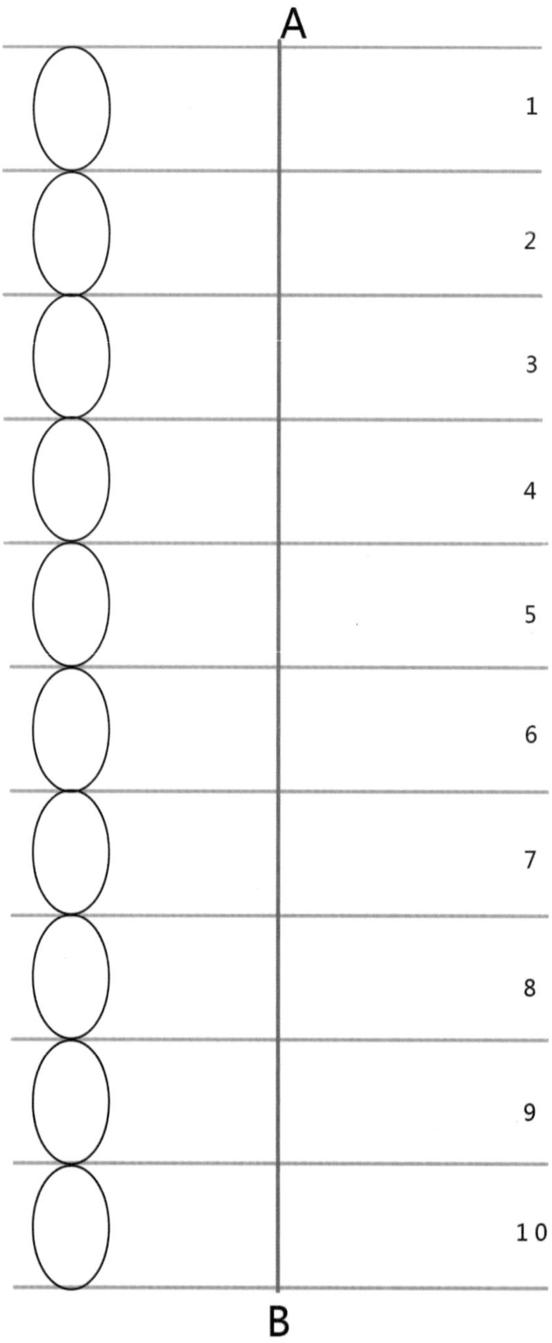

A
1
2
3
4
5
6
7
8
9
10
B

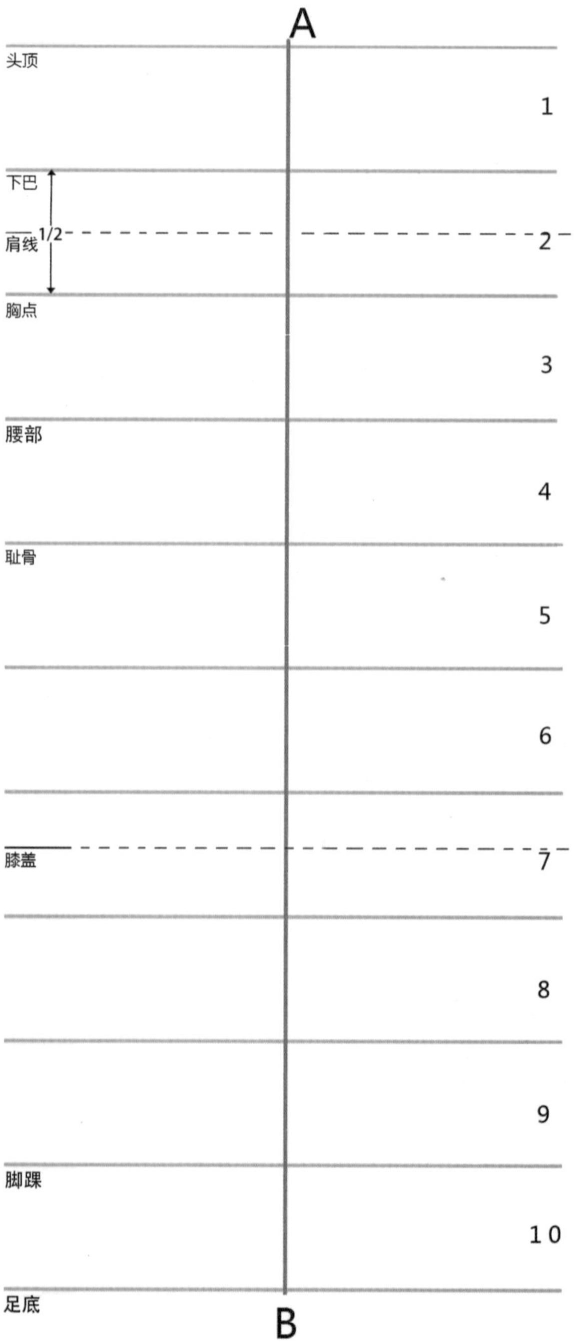

A
头顶
1
下巴
1/2
肩线
2
胸点
3
腰部
4
耻骨
5
6
膝盖
7
8
9
脚踝
10
足底
B

■ 练习示例

3.5.1 正面人体动态表现

■ 练习范例

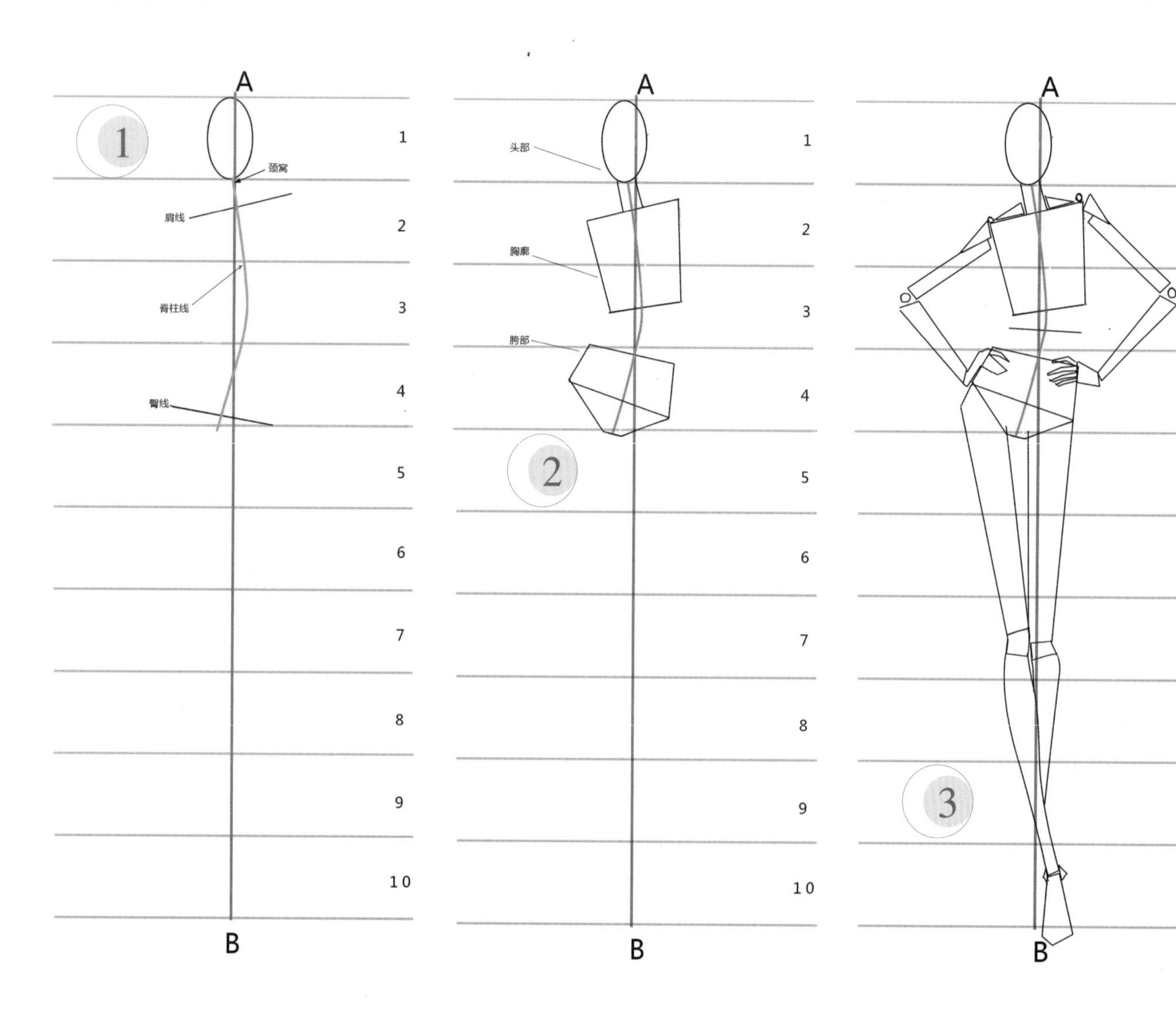

① 绘制“一竖二横”基准线。首先在10头身人体基本比例图上的第1格中画一个橄榄形的头部，从头部下方画出代表脊椎动态走向的脊柱线，与垂直线AB相交的一点就是颈窝，然后画出肩线与臀线，确定胸廓与胯部的倾斜角度。

② 画“三体”。根据刚才画的肩线与臀线，分别画出胸廓与胯部的基本形状。胸廓是肩部略宽、腰部逐渐变窄的上宽下窄的梯形，胯部为腰间略窄、臀围处略宽的上窄下宽的梯形。

③ 画“四肢”。从上到下，首先画出代表斜方肌的肩斜线，在肩头的位置画一小球代表锁骨肩点，然后根据肩的位置画出上臂的圆柱体和上粗下细的前臂，在圆柱体和肩之间画一个三角形状的三角肌，在上臂和前臂的连接转折处画一小球作为肘部。接着画出圆柱形大腿和起连接转折作用的膝盖，再画出上粗下细的圆柱体小腿，最后加上手和脚，整个人体动态就画好了。

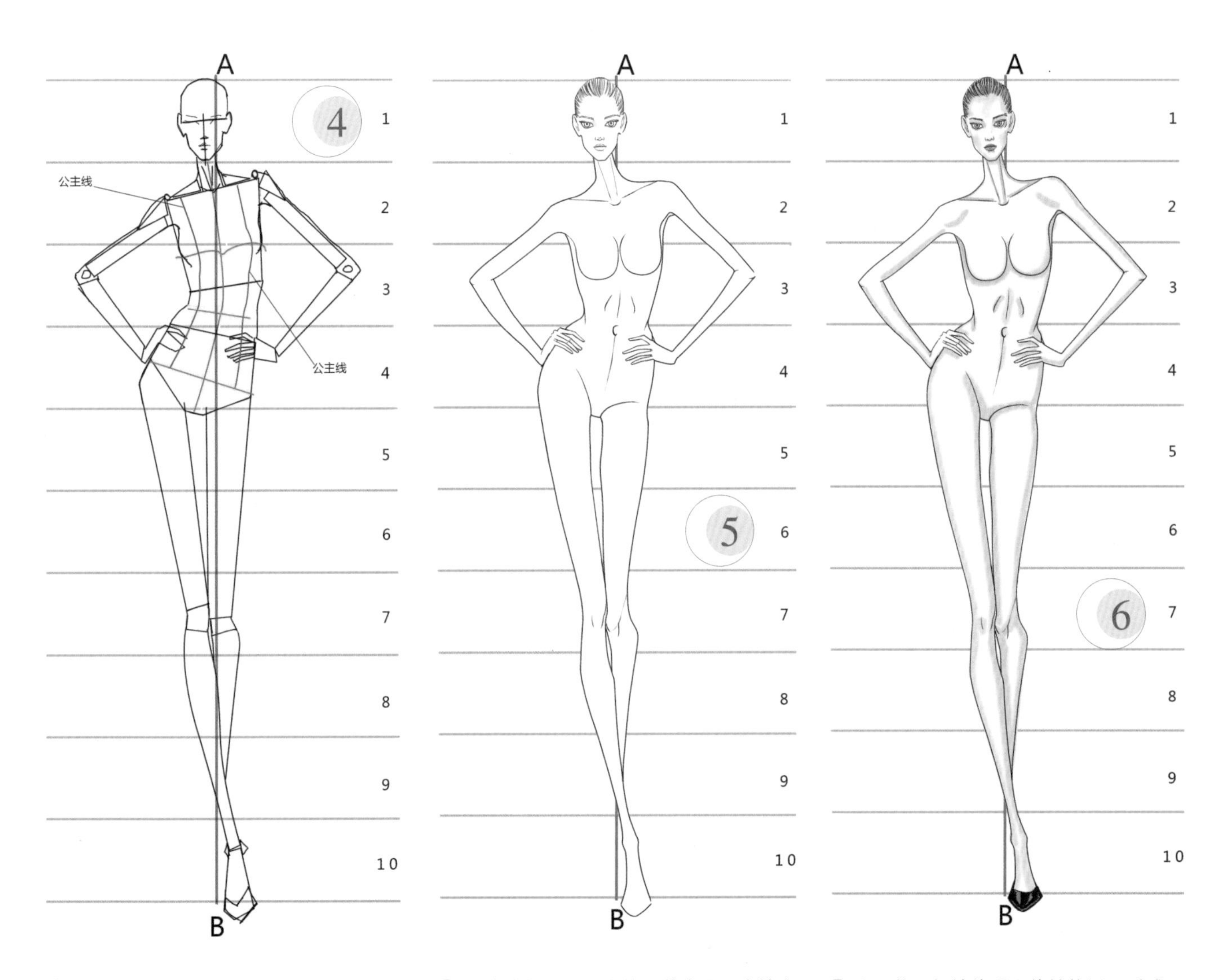

④ 画完基本动态后要给动态填充肌肉。为了避免弄脏画面，绘画顺序要有序地进行。用线条连接身体的各个部位，并勾勒出头部和手脚等人体的基本形态。

⑤ 人体头部、手和脚的细节表现。在填充了肌肉的人体上深入表现细节。用线条表现人体形体时要注意线的穿插与组织，以及虚实变化。

⑥ 为了能更好地体现人体结构以及质感，可以为人体上色。首先用马克笔或水彩铺2~3遍皮肤底色，然后重点强调一下头部下方和身体侧面一些背光部位的阴影，也可以强调一下重点的结构部位，如锁骨、膝盖等。

在画之前要清楚一点：刚才画的只是暂时的基本形态，填充肌肉时要以最后的效果为目标，随时改正动态的各部分以达到自己能力内的最好效果。

在填充人体肌肉时，要加上服装结构线（胸围线、腰围线、臀围线），并注意线的透视变化。这些结构线能有效地帮助你更好地表现人体的真实度，也能帮助你确定公主线、门襟、纽扣的正确位置。

3.5.2 侧面人体动态表现

侧面动态最能体现人体的曲线感，所以这个动态最重要的就是脊椎的动态走向，画时一定要注意脊柱前凸后凹的结构特点。

■ 练习范例

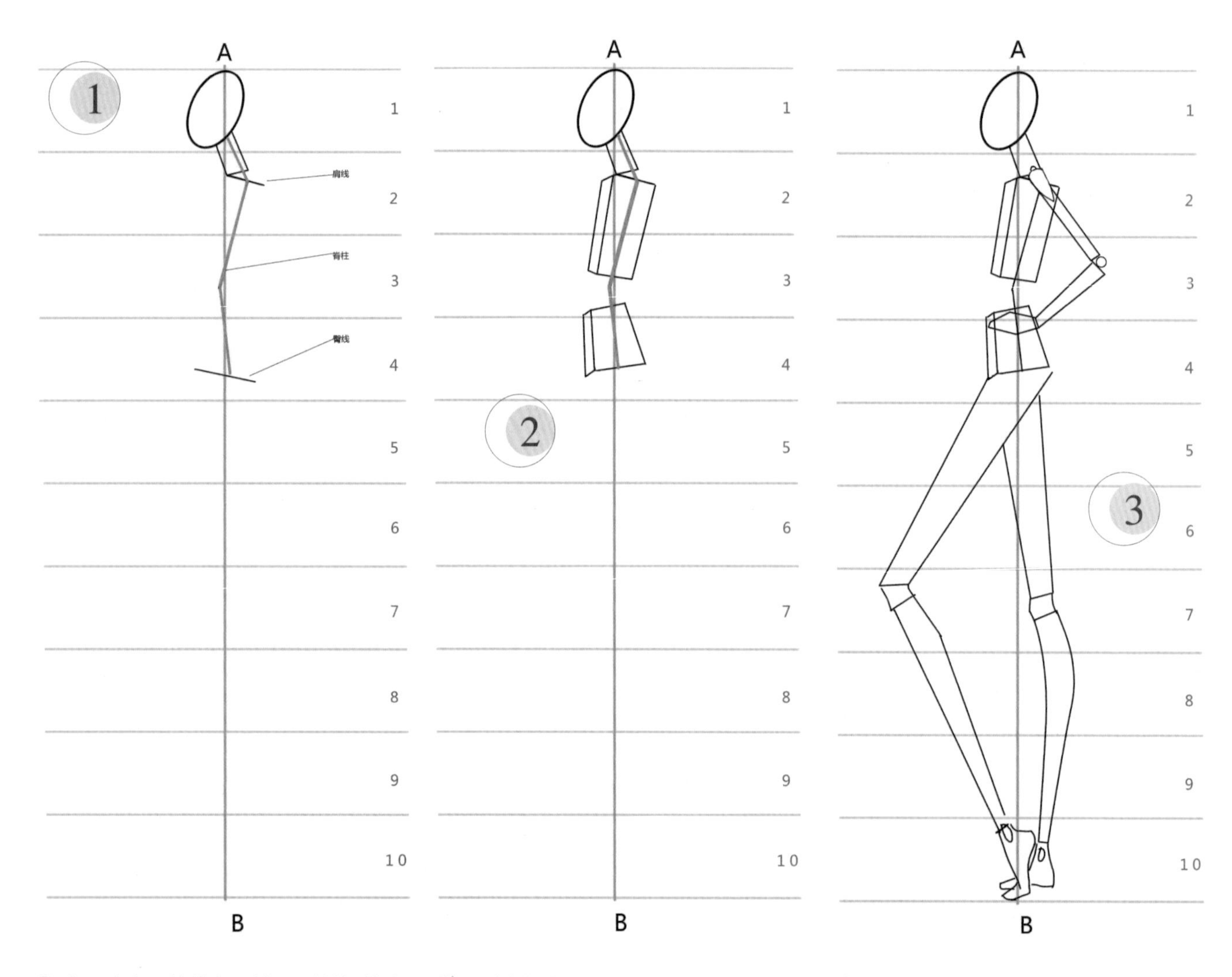

① 在10头身人体基本比例图上的第1格中画出头部形状，注意头部斜倾的角度；然后画出颈部与脊柱的弯折走向，并画出肩线与臀线的位置，确定胸廓与胯部的倾斜角度。

② 通过脊柱线的连接画出头部、胸廓、胯部三大体块，注意人体的透视。侧面人体也可以看见人物的一部分正面，在这里，透视带有很强的仰视感。

③ 根据三大体块，画出四肢和人体关节的转折部位。侧面人体中后面的腿是受力的腿，是人体的重心腿，另一条弯曲的腿是活动腿。重心腿要回到基准线上，人体才能站稳。在绘制时，受力的那条腿是向前方倾斜的，不能画得太直，小腿的胫骨也并非是笔直的，要略带弧度。

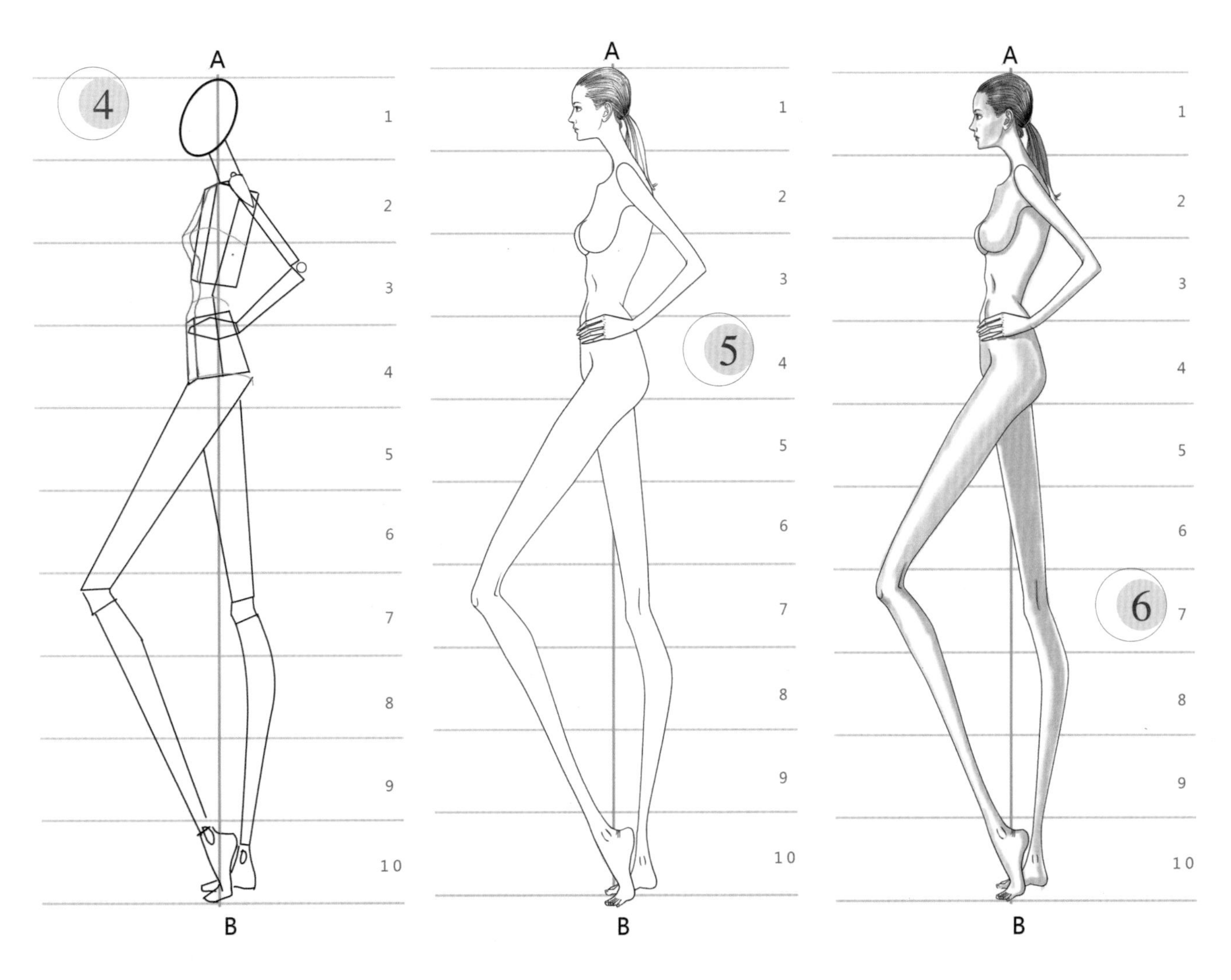

④ 人体的基本形体画好后，画出胸围线、腰围线、臀围线以及公主线。连接人体的关节点，填充肌肉，并勾勒出人体的细节部位。

⑤ 检查动态没有问题后，就开始深入表现人体的细节，通过线条的虚实表现人体的结构点。膝盖后面与小腿连接的地方有肌肉肌腱，应当注意线条的穿插。

⑥ 为了更好地体现人体结构以及质感，可以为人体上色。侧面人体上色时要有意识地处理腿的空间感，处理好腿部的受光面和背光面。

3.5.3 四分之三侧面人体动态表现

■ 练习范例

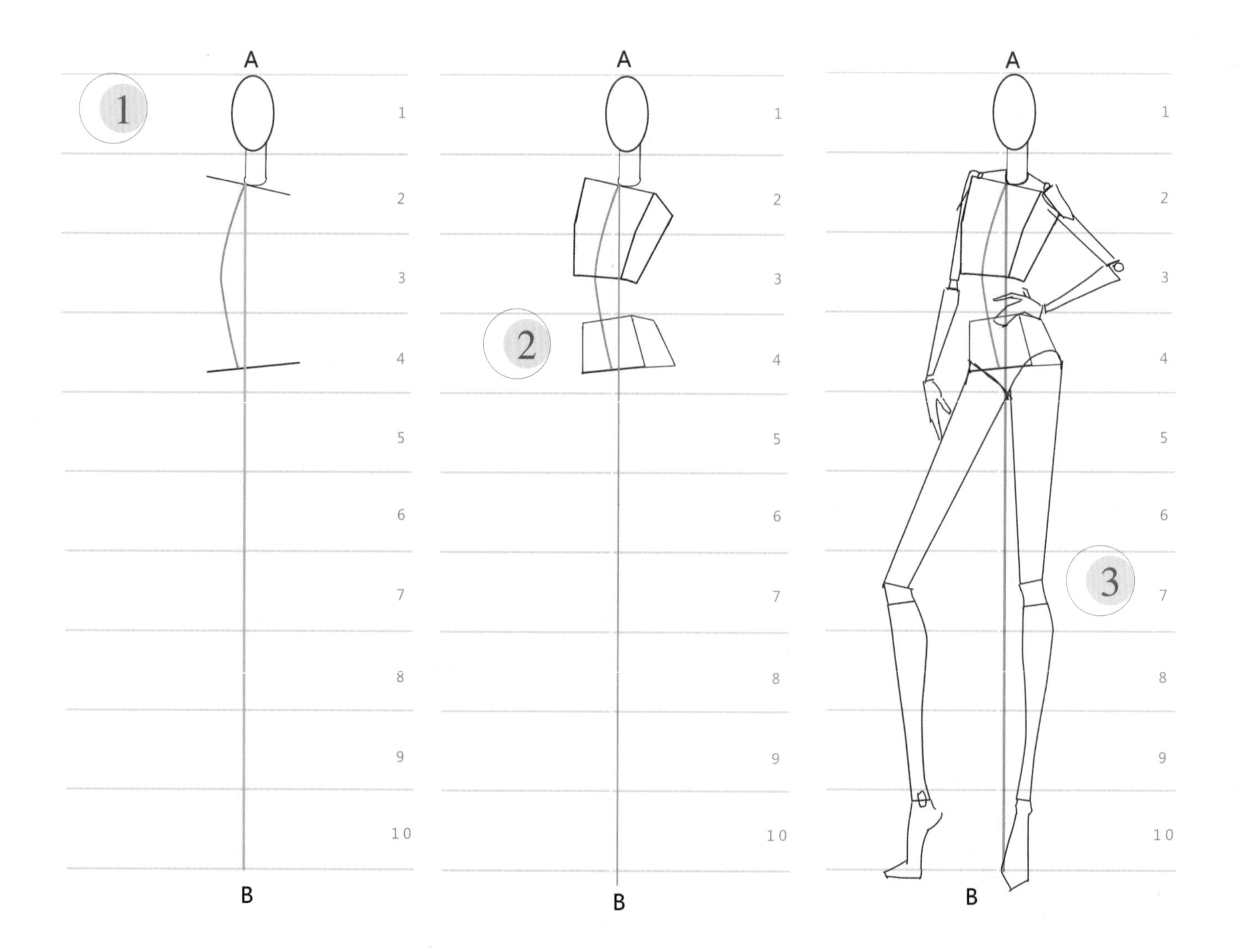

① 在10头身人体基本比例图上的第1格中画出头部形状。由于人体是带有幅度的转动，颈部与脊柱中心线弯折幅度变化较大，所以在画头部、肩线、臀线时要注意它们的倾斜变化。

② 画出胸廓和胯部。由于四分之三侧面转动的人体产生了较大的透视，所以要用三维的思维来表现，用长方体的正面和侧面来表现人体的正侧面。

③ 四肢以及人体的细节部位表现。受力腿的表现和手臂透视变化的表现是四分之三侧面人体动态的学习难点。画腿部时，先画出受力的那条腿，也就是重心腿。重心腿最后一定要回到基准线上，这是检验人体是否能站稳的关键。画手臂时，要先考虑好手的摆放位置，侧面人体的手臂弯曲和正面人体会有很大变化，上臂内侧画直线，外侧弯过肩端点后画直；下臂内侧先弯再画直，外侧画直。

④ 画出人体的胸围线、腰围线、臀围线以及公主线，然后填充人体肌肉。通过细节部位的表现来丰富人体形象。

⑤ 深入刻画头部、手、脚以及人体的局部细节。

⑥ 通过对人体的着色，可以让画面更加完整，人体的结构也能充分地表现出来。

3.5.4 背面人体动态表现

■ 练习范例

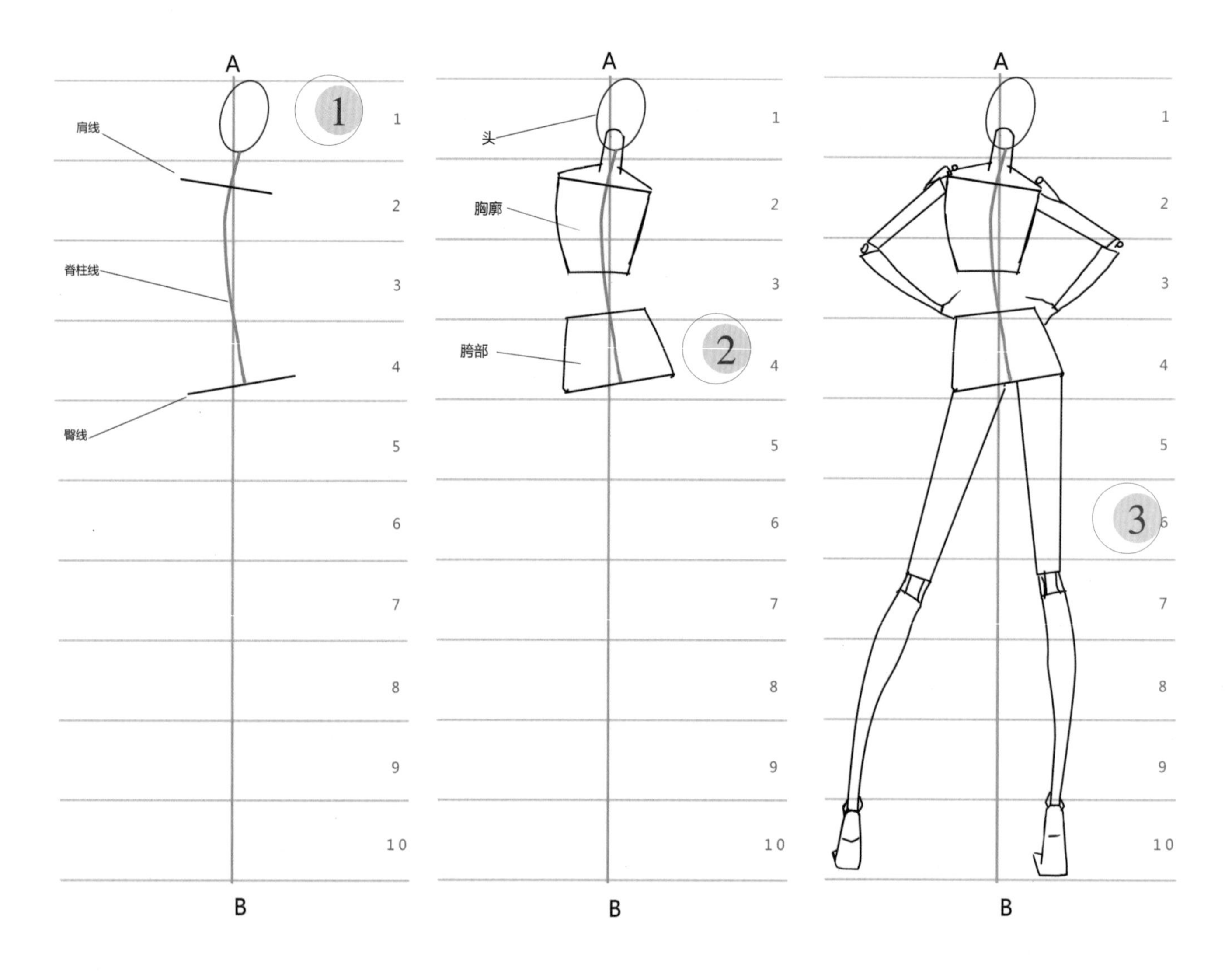

① 在10头身人体基本比例图上的第1格中画出头部形状，然后再画出“一竖二横”，也就是脊柱线、肩线和臀线。

② 画“三体”，根据肩线和臀线画出胸廓和胯部。

③ 画出四肢以及人体的细节部位。

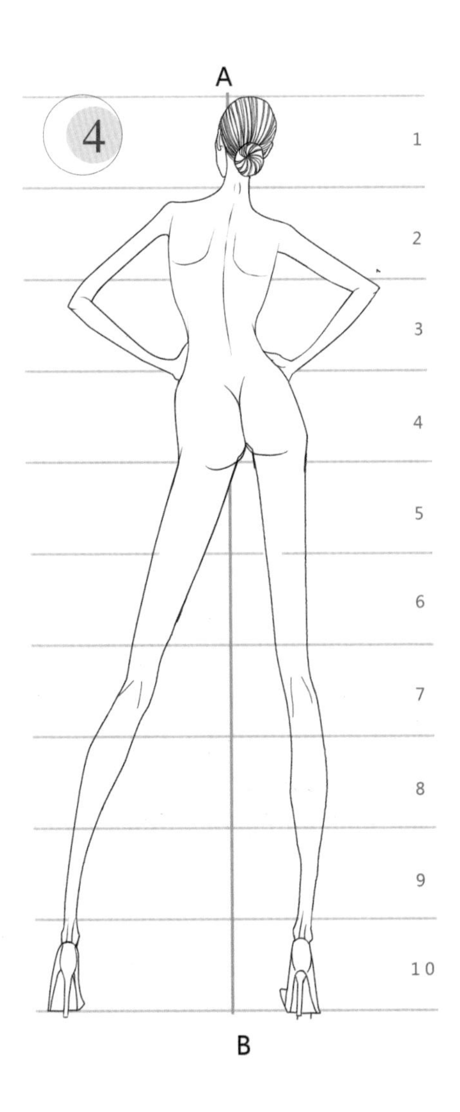

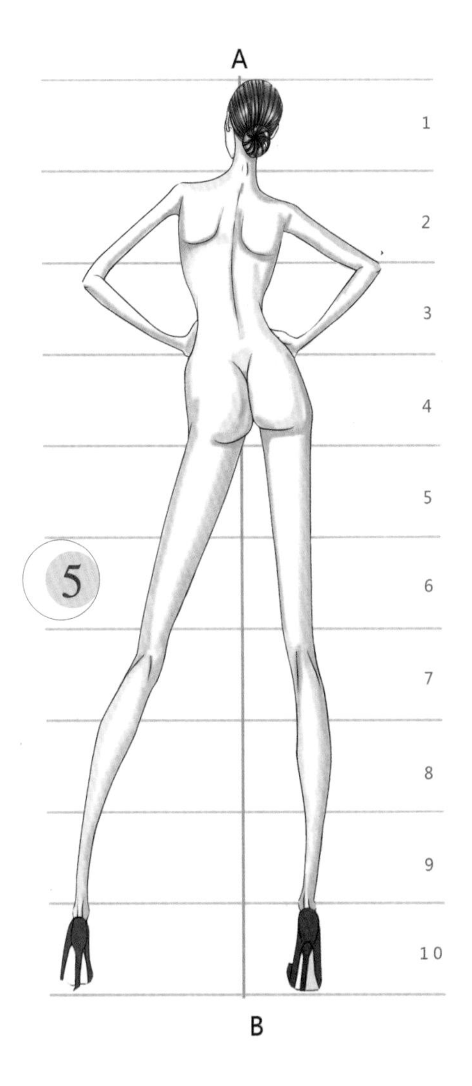

④ 深入刻画表现人体动态，画出头部、手、脚和人体局部的具体形状。

⑤ 给人体动态上色，表现人体结构和皮肤质感。

3.6 服装画人体局部表现

走进各大商场的一楼会看到相同的场景，眼前全都是唇膏、眉笔、眼影粉等各色各样的化妆品，并且空气中弥漫着浓郁的香水味，在这里不难看出人们对美有着多么强烈的需求。

脸部五官与头发在服装画中的表现是非常重要的，脸部与发型不但能体现人的年龄、气质和服装的风格定位，而且能更好地展现自己的创作思想和绘画风格。尽管我们不是化妆师，但是为了能更好地表现服装效果图，我们要比化妆师有更高的美颜塑型水平，化妆师在人的脸上创作，我们需要在白纸上创作。

在追求脸部细节的同时，也不能忽略手和脚在画面中的表现，手和脚的精彩刻画会达到很好的点缀效果。

3.6.1 眼睛的绘画表现

在生活中与人接触时大部分时间都在看着对方的眼睛，“眼睛是心灵的窗户”，即使对方不说话也能读出对方的内心。眼睛在一幅画中起着传神的作用，眉毛与眼睛一样具备着丰富的表情。跟眉毛有关的成语有很多，比如眉飞色舞、眉目传神、杨柳宫眉等成语都能表现出一个人的神韵，眉毛的弯曲形状和粗细能表现人物的性格与气质。

■ 眼睛的结构及分析

眼睛的基本形状是球体，外部由上眼睑（上眼皮）和下眼睑（下眼皮）将眼球包裹，上下眼睑交汇处是内眼角和外眼角。眼球包括眼黑和眼白，眼黑又分瞳孔和虹膜，内眼角处有泪阜。眉毛因为眼眶的缘故而分成两段，内侧眉头的眉毛是由下往上长的，外侧眉梢的眉毛是由上往下长的。

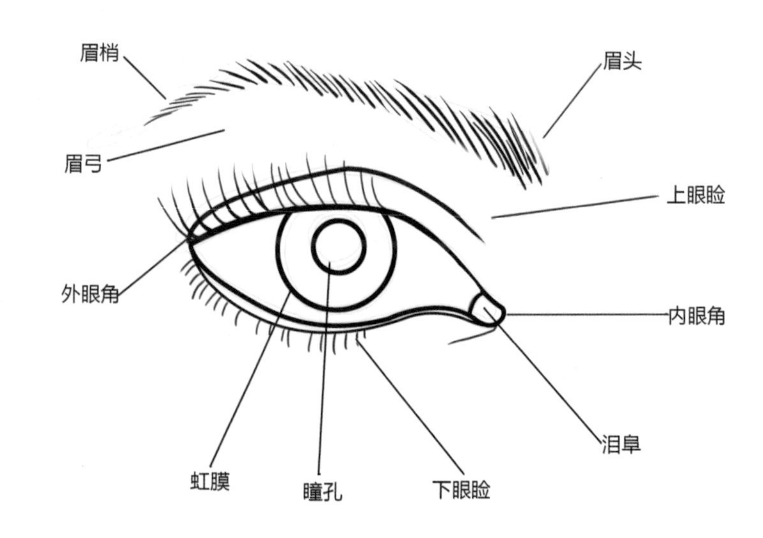

第1点：上眼皮比下眼皮的颜色要深，并且不能忽略眼皮的厚度。

第2点：黑眼球大概有1/5的部分被上眼皮覆盖，不能画成完全暴露在眼皮之外。

第3点：通常情况下外眼角要高于内眼角。

第4点：眼睛的高光不能画得太随意，高光明显时会使人显得更精神，高光不足会使人显得颓废。

第5点：眉毛与眼睛的距离要适当的把握，东方人的眉毛与眼睛的距离要远一些，西方人的眉毛要近一些。

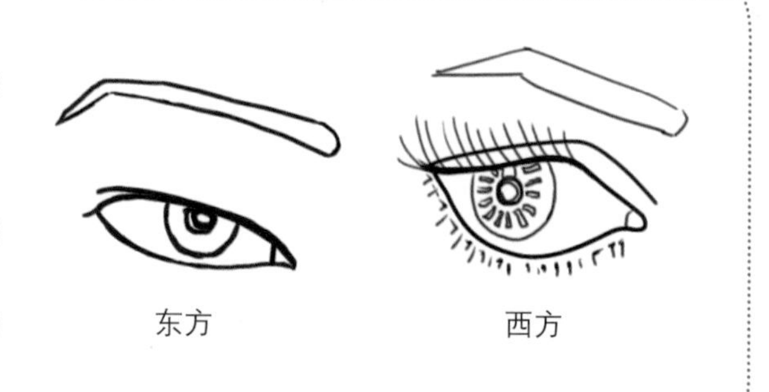

■ 眼睛的画法

① 画出眼睛与眉毛的外轮廓，并注意眼睛的内外眼角的倾斜角度。
② 分析眼睛结构，考虑运笔方向。
③ 根据箭头方向，画出眼睛和眉毛的形状。
④ 完善眼睛细节，画出虹膜、瞳孔和泪腺。
⑤ 在眼睑偏外处画出眼睫毛，并注意它的长短及粗细变化，然后给眼睛整体着色。

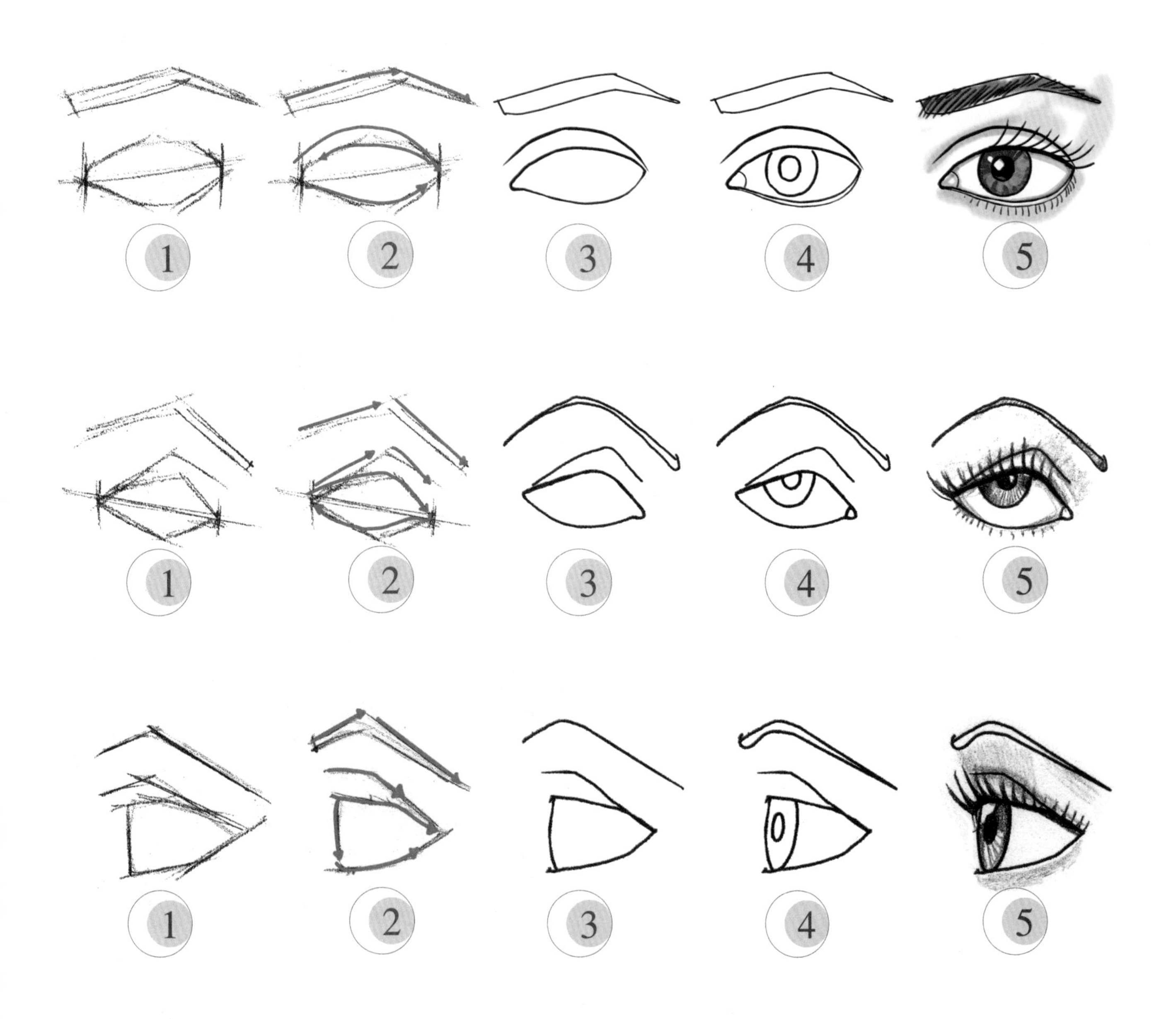

3.6.2 耳朵的绘画表现

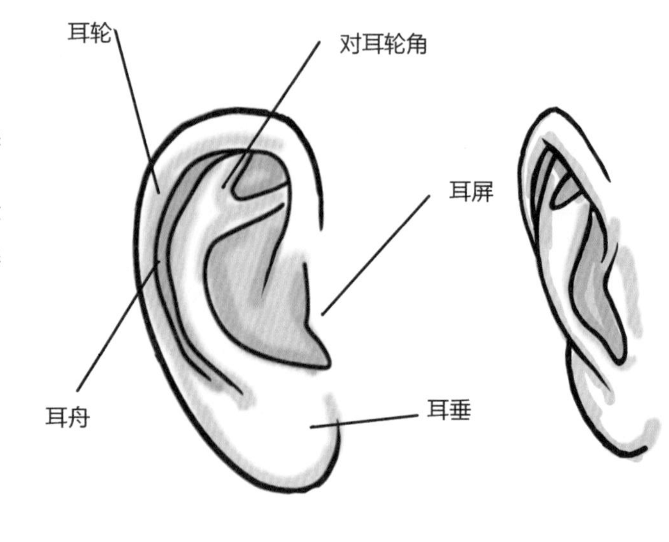

■ 耳朵的结构及分析

耳朵由耳轮、耳垂、耳屏、对耳轮角、耳舟等构成，耳朵的位置在三庭当中与鼻子相对应。

耳朵看似给人感觉很复杂、很不规律，其实在画的时候不妨将它看成是一个贝壳形状，可适当简化处理，只画出它的基本结构或只画出暗部。

■ 耳朵的画法

① 画出耳朵的大体轮廓。
② 分析耳朵结构，组织运笔穿插。
③ 画出耳朵的基本形状，根据运笔箭头画出外耳轮和耳垂。
④ 完善耳朵结构，画出对耳轮角。
⑤ 根据耳朵的结构穿插给耳朵上色。

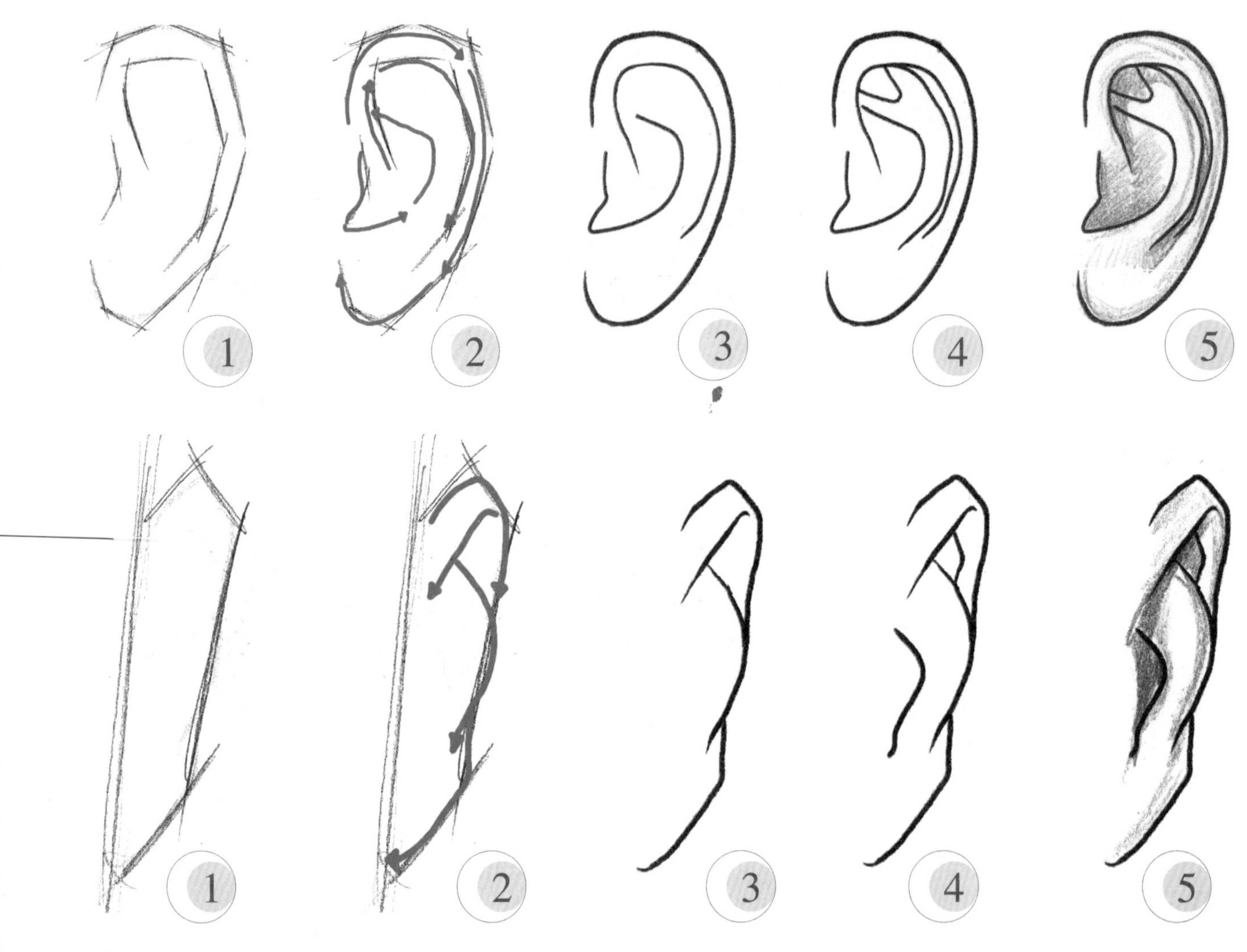

3.6.3 鼻子的绘画表现

■ 鼻子的结构及分析

鼻子位于整个脸部的正中间，也是活动最多的肌肉部位，鼻子由鼻梁、鼻头、鼻翼组成。

在中国的工笔画中都是先画鼻子，再以鼻子做参考来画整幅画。在服装画中鼻子有时淡化处理这也是符合美的规律的，在需要画人物脸部特写的时候鼻子也是不容被忽视的。

在画鼻子的时候，可以将鼻子分为四个面来处理，即中间一个面，两边一个面，鼻底一个面。可以只画鼻底一个面或只画微露的两个鼻孔，但是鼻孔不能画得过大，除非是画仰视动态图。

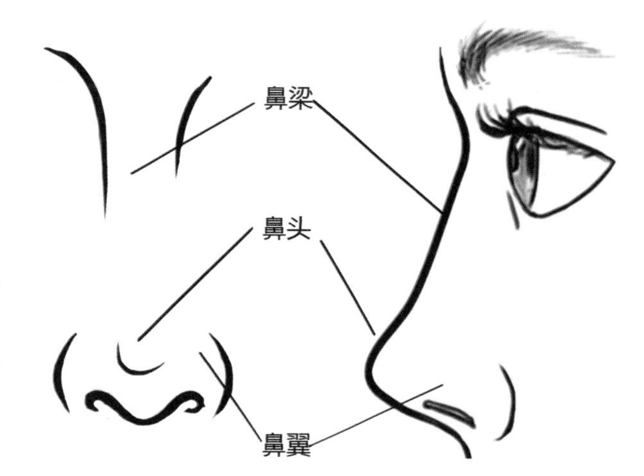

■ 鼻子的画法

① 定出鼻子的长度和宽度，画出鼻子大的轮廓。
② 分析鼻子结构，组织运笔穿插。
③ 根据运笔箭头画出鼻子具体形状。
④ 根据鼻子结构给鼻子着色。

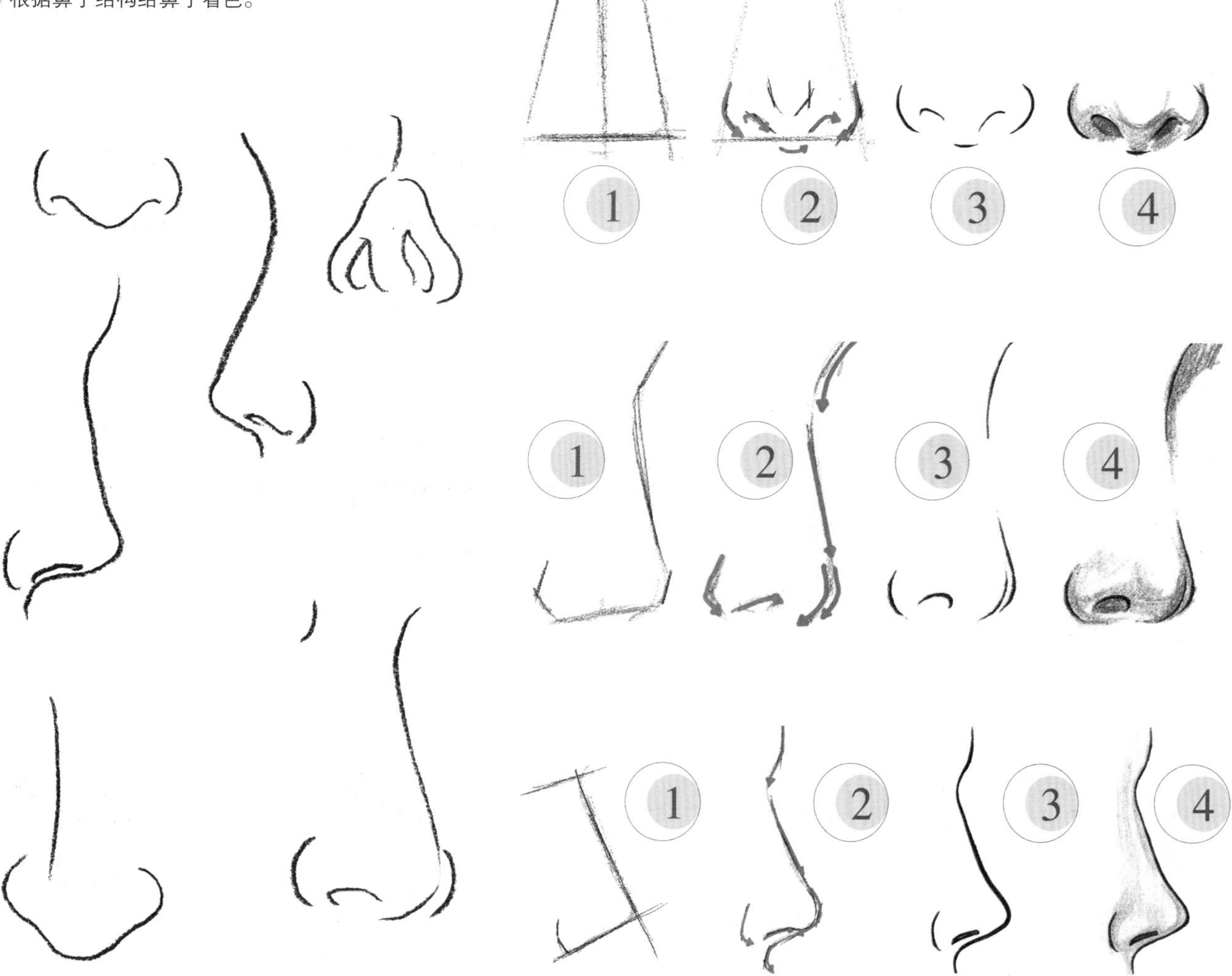

3.6.4 嘴的绘画表现

除了迷人的双眼，嘴唇也是非常吸引人的地方，一个性感靓丽的嘴唇往往会带来意想不到的效果。厚嘴唇给人感觉更加热情与性感，薄嘴唇给人感觉更加冷峻与高贵。不同的唇色也给人不同的感觉，橙色给人感觉更青春、更热情，玫瑰色则更高雅妩媚。

■ 嘴的结构及分析

嘴分为上下唇，上唇分为4个面，下唇有3个面。上唇中间有唇珠突起，两边嘴角微微上扬。嘴巴的宽度比鼻子要宽，但不能宽过两瞳孔之间的距离。

在表现嘴唇时应该把它看成一个半圆柱体来处理，画的时候要有弧度感，比较理想的嘴唇的下唇比上唇要厚一些，但也不完全是这样，自己可以根据需求适度夸张处理。

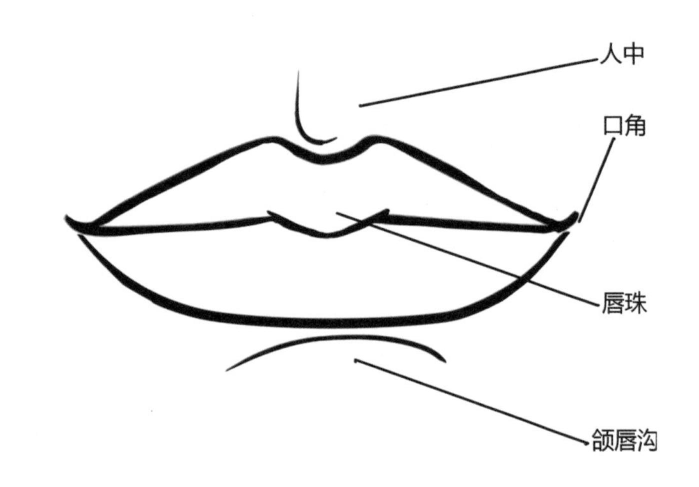

■ 嘴的画法

① 定出嘴巴的长宽位置，画出嘴的大体轮廓。
② 分析嘴的结构，组织运笔穿插。
③ 根据运笔箭头画出嘴的具体形状。
④ 根据嘴的结构给嘴巴着色。

■ 练习示例

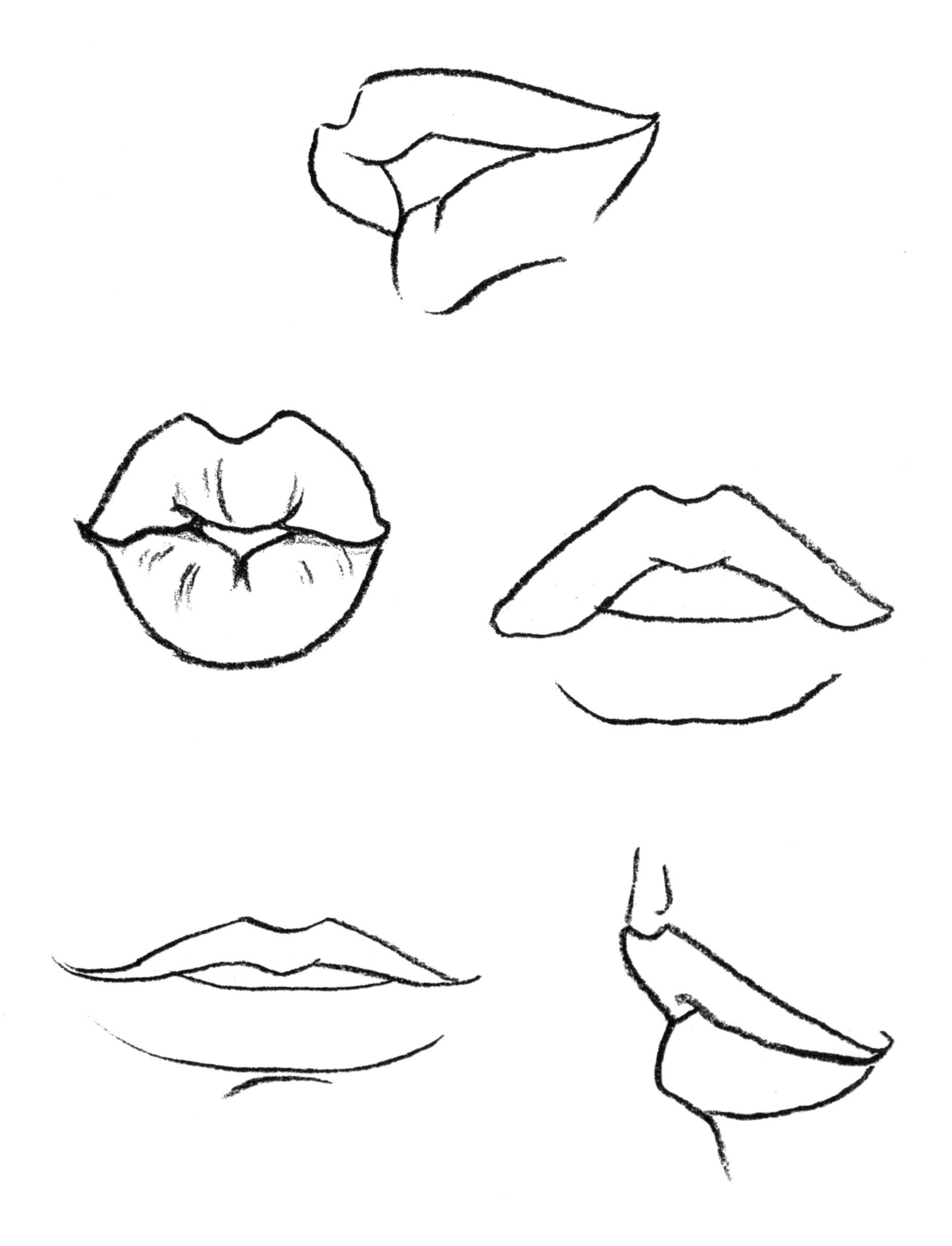

3.6.5 头发的绘画表现

■ 头发的结构及分析

头发是时尚造型的重要组成部分，通过塑造各种各样的发型来表现模特的形象。不同的脸型搭配不同的发型，但不管是什么样的发型都有一定的规律。首先应当清楚头发是依附在头皮上的，而整个头部是一个球体，所以在画头发的时候应当注意其体积感。此外应当注意发际线的形状，在前额发际线正中有一个向下凸出的尖，称为美人尖，所以发际线整体可以概括成M形。

在画头发的时候不要死抠细节一根一根地画，要从整体开始画，把头发分成一缕缕的，并且这些丝丝缕缕的走向要遵循头部的结构规律。这些发缕能表现出不同的发型和发质，发型会影响服装效果，所以为了搭配服装也可以变换不同的发型。

■ 发缕的画法

① 画出发缕形状。
② 用餐巾纸或手指蘸着色粉笔的粉末擦出头发的明暗关系。
③ 顺着头发的走向用彩色铅笔画出发丝，衔接亮部和暗部。
④ 加强对比，刻画发丝。

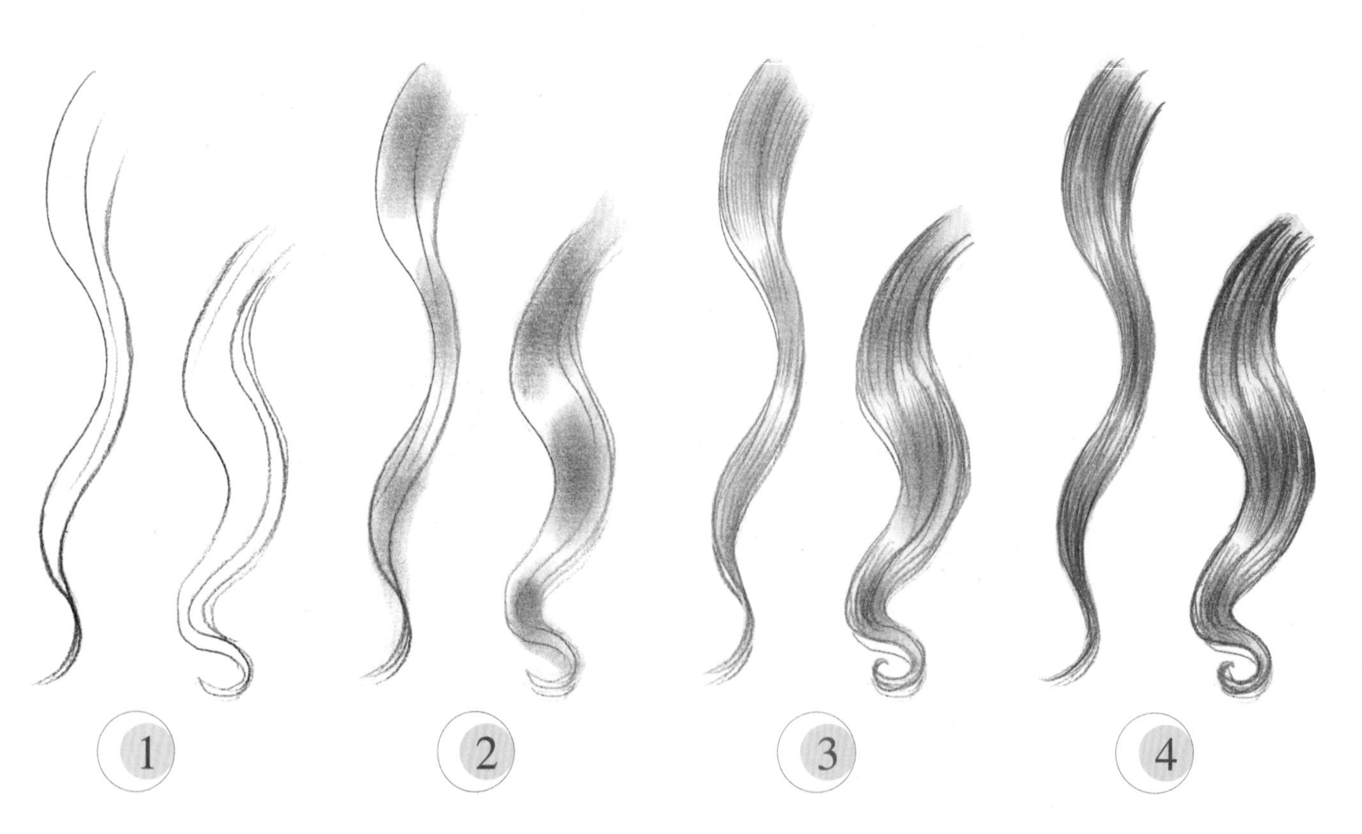

■ 头发表现赏析

3.6.6 脸部整体绘画表现

问：不得不相信美的规律是存在的，我们经常形容一个人长得很标致，那这个标致是什么呢?

答：在美的世界里有一个通用规律，那就是黄金分割点，在人的头部外形当中也有一个黄金规律就是“三庭五眼”，这是一个非常实用的比例准则。

问：那什么是三庭五眼?

答：“三庭”是把脸部从发际线到下巴分成三等份，从发际线开始到眉毛为一庭，眉毛到鼻底为二庭，从鼻底到下巴处为三庭。“五眼”是以眼睛为长度单位测量两鬓之间的距离，两个眼睛之间的宽度是一个眼睛的长度，外眼角到鬓角是一个眼睛的长度，算上两只眼睛自身的宽度总共有五个眼睛的宽度。在整个人体头部比例中眼睛处于中间的位置，在生活中女性为了使眼睛更美丽就通过化妆使眼睛看起来更大，在服装画中这个比例也并不是一成不变的，也可以进行夸张处理，把眼睛画得大一些，因此五官的比例可以根据自己的表现需要来画。

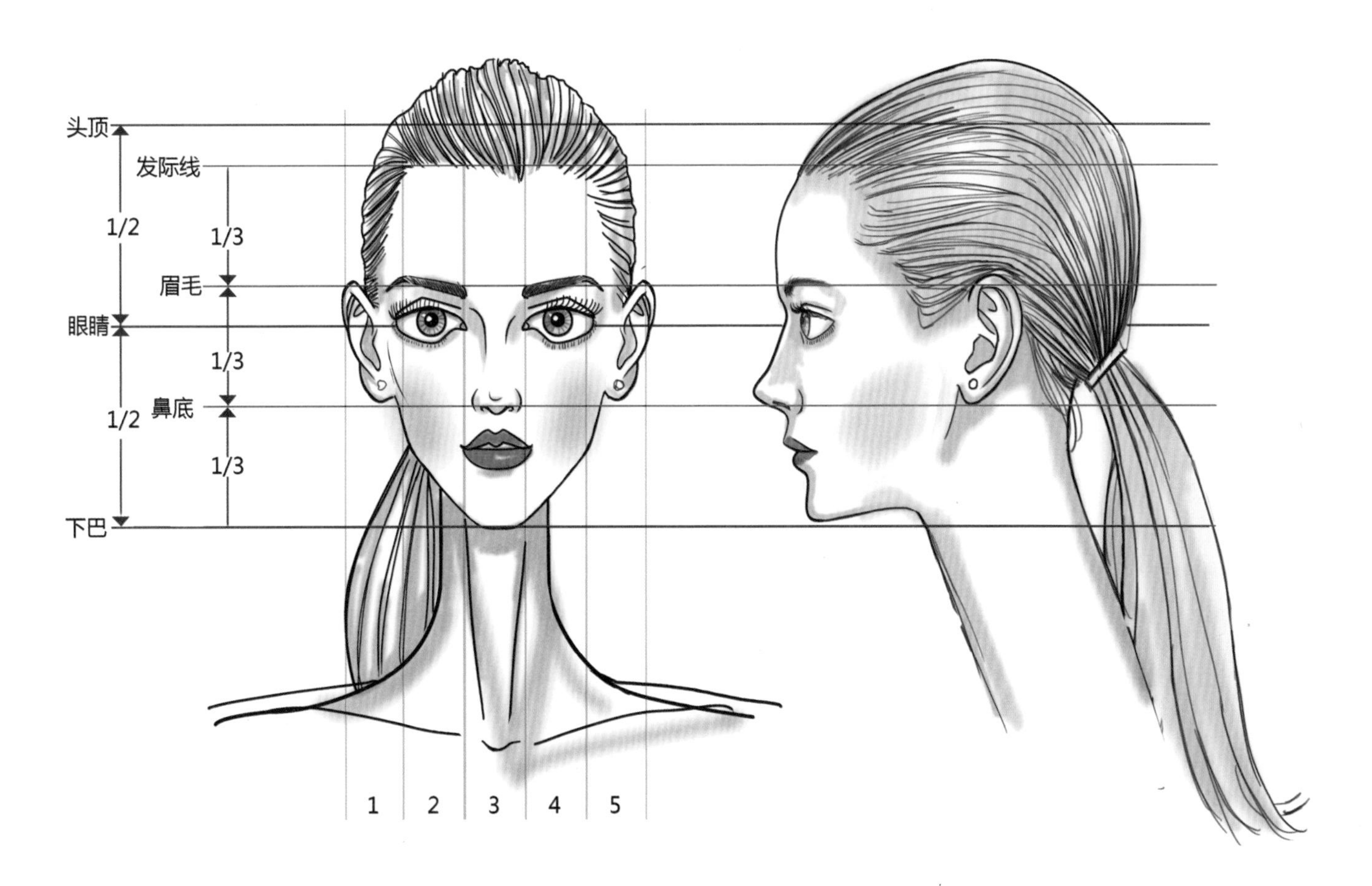

■ 头部的透视分析

在平时的绘画当中，几乎每一副画中都有透视。人的头部就像一个立方体，随着视觉角度的变化而产生不同的视觉形象，要正确合理地表现头部形象，就必须掌握它的透视变化规律。

仰视

当头仰起时，耳朵位置下移，低于眼睛和鼻子的位置。鼻子与眼睛的距离变得更近。同时“三庭”比例也发生明显变化，鼻底到下巴的面积变得最大，其次是鼻子的面积，发际线到眉毛的距离变得最小。脖子显露的面积也变大。

俯视

当头部俯下时，耳朵位置上移，高于眼睛和鼻子的位置。鼻子与嘴巴的距离变得更近，嘴巴与下巴显得更小。看不到鼻孔，只看见鼻头和鼻翼的形状。头部 “三庭”比例当中额头的面积变得最大。

■ 头部的画法

头部正面画法

① 定好头高与头部中轴线，画出类似鸭蛋形状的头部外形，然后画出头部高度的平分线确定眼睛的位置。

② 画出发际线，按比例将发际线到下巴分成三等份，并确定眉毛、鼻子、耳朵的位置。接着将头部宽度分成五等份确定眼睛的位置。

③ 完成五官形象，画出眼睛、耳朵、鼻子、嘴巴的具体形状。

④ 加上头发以及描绘头部各部分细节。

⑤ 去掉辅助线，略施明暗，刻画出头部具体形象。

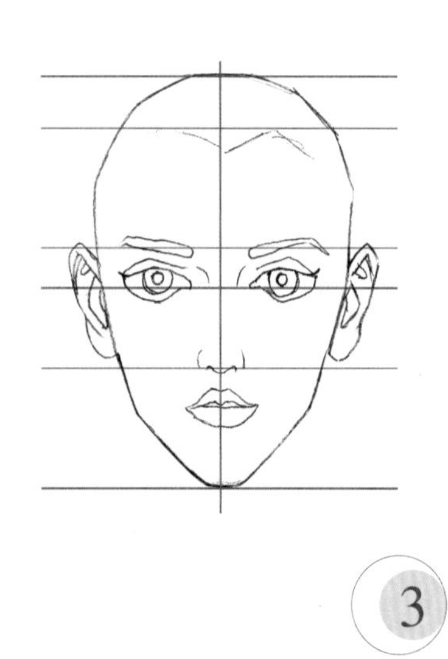

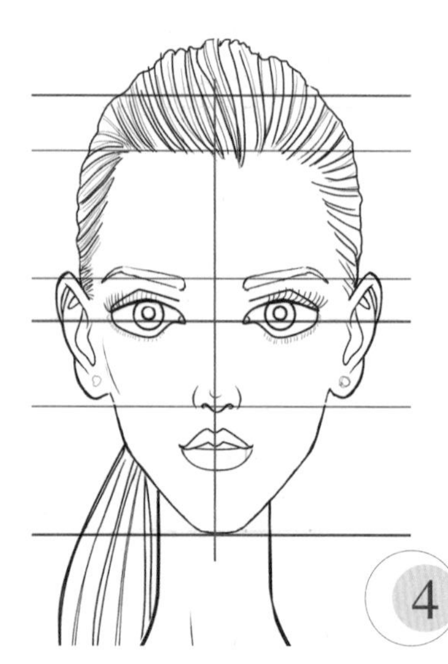

头部斜面画法

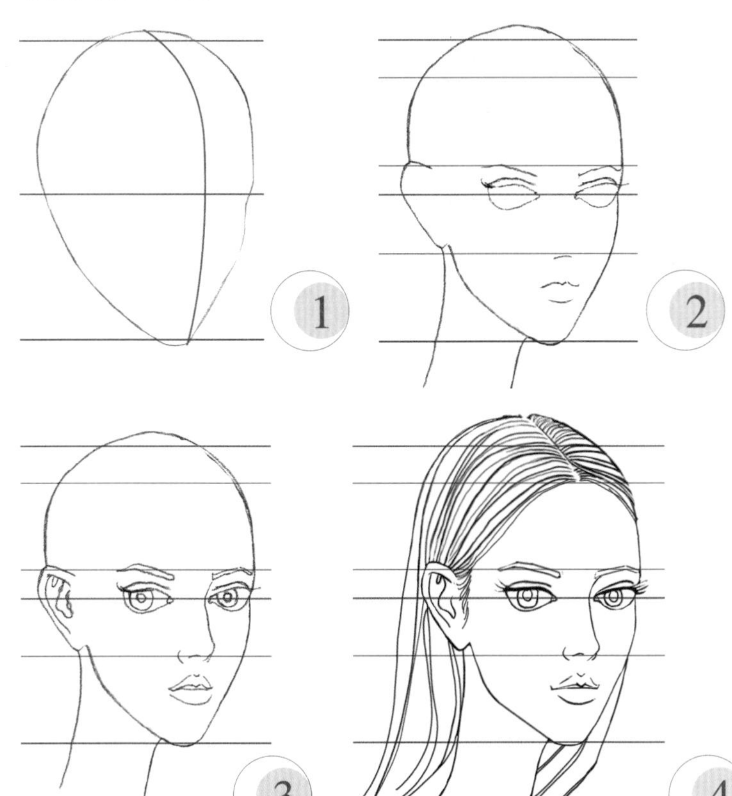

① 通过基准线画出头部形状，同时画出头部中线。注意由于透视脸部较远的一部分要画得小一些。

② 画出发际线，通过“三庭五眼”的规律确定眼睛、鼻子、嘴巴的位置。

③ 完成五官的具体形状。注意透视对五官外形的影响。

④ 画出头发，完善头部的具体细节。

⑤ 擦掉辅助主线，进一步刻画头部，完善整体形象。

头部侧面画法

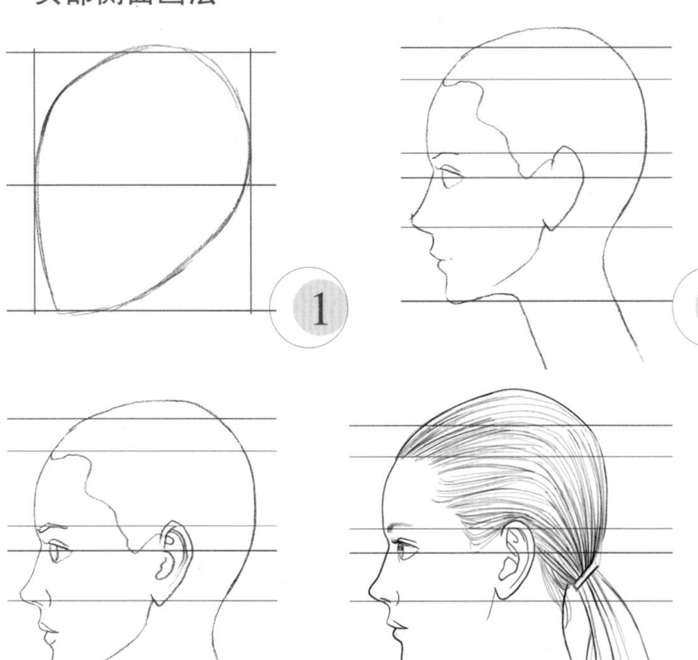

① 通过基准线画出头形。注意整体的长宽比例，侧面头部比例近似于正方形。

② 参照“三庭五眼”规律确定出五官的位置。耳朵的位置位于头部宽度2/5的位置。

③ 画出眼睛、耳朵、鼻子等五官的具体形状。

④ 加上头发以及头部各部分细节。

⑤ 去掉辅助线，刻画五官细节，完善整体形象。

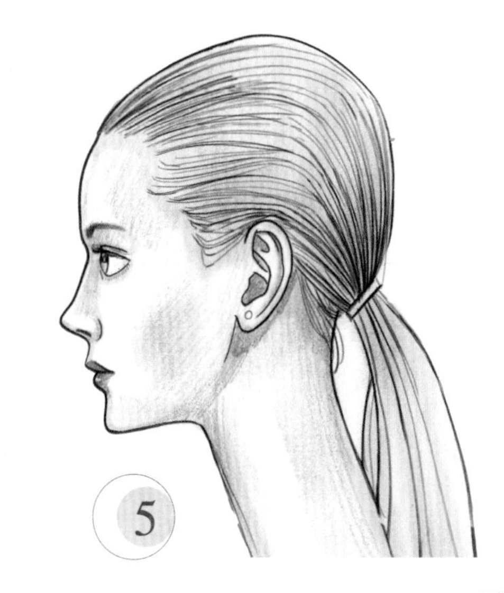

■ 头部的整体表现

示例1

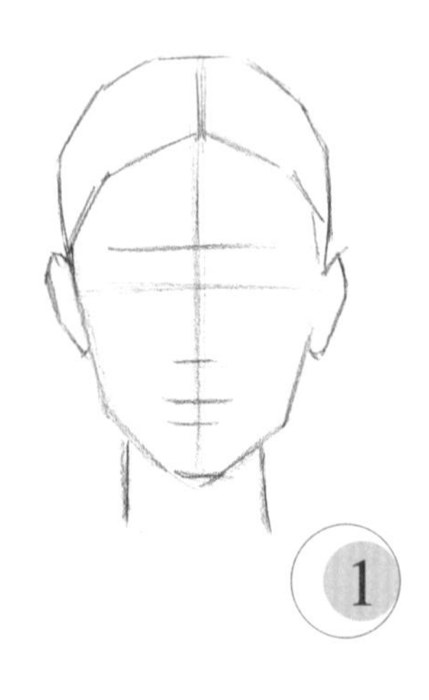

① 构图起形，画出人物的外轮廓线，标出发际线，然后按照"三庭五眼"的比例画出眼睛、鼻子、嘴巴的比例位置。

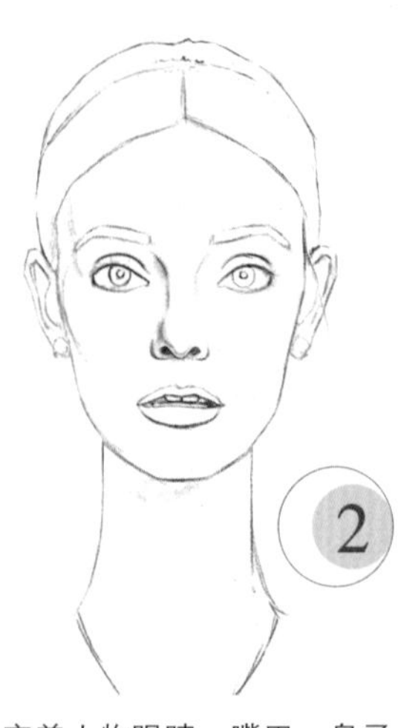

② 完善人物眼睛、嘴巴、鼻子以及发型的形状，注意时刻检查五官的比例，在画人物脸部具体轮廓线时要注意人物的骨点和肌肉结构。

③ 运用色粉笔强调明暗交界线并铺设大的明暗关系。

④ 刻画头发，顺着发缕发丝的走向用彩色铅笔画出头发的具体形状。刻画时要注意发型的整体表现，头发要分缕刻画。

⑤ 深入刻画脸部细节。按照从左到右、从上到下的顺序依次用彩色铅笔刻画眉毛、眼睛、嘴巴等五官细节。

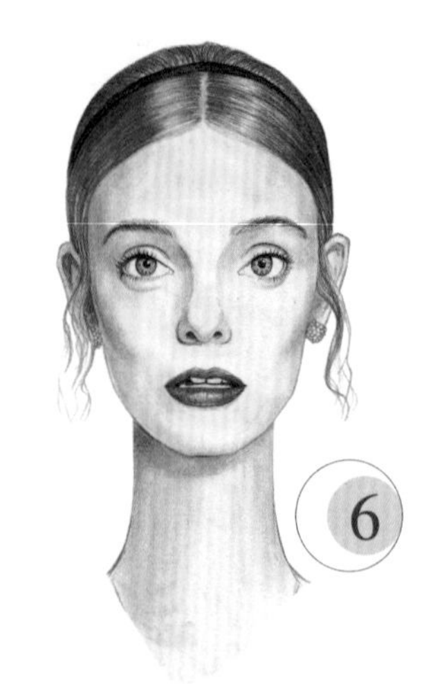

⑥ 用棉棒和纸巾结合色粉笔为面部着色。着色时要注意保持画面清洁，根据所要达到的整体效果适可而止。

Tips

用棉签在白纸上将所需要色粉的颜色进行调和，然后根据需要轻轻地在画面上擦出自己所要的颜色。

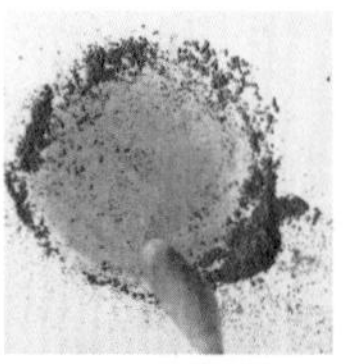

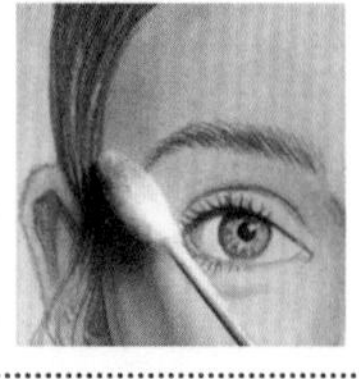

⑦ 整体调整后得到最后的效果。

示例2

① 画出人物的外轮廓线，然后画出发际线和面部中线，接着按照“三庭五眼”的比例规律画出眼睛、鼻子、嘴巴的位置。在画四分之三侧头像时要注意左右脸的透视变化。

② 根据辅助线画出人物眼睛、嘴巴、鼻子以及发型的形状。

③ 用棉签或纸巾蘸着色粉沿明暗交界线铺设大的明暗关系。铺设关系时要注意整体的虚实变化，特别是对头发渐变的处理。

④ 顺着发缕发丝的走向刻画头发，注意刻画蓬松的发型时用笔要更加舒展与放松。

⑤ 用彩色铅笔刻画五官细节。在刻画时要注意整体的秩序感，远处的眼睛要主观地进行虚化处理，以拉开整幅画面的空间感。

⑥ 结合画面需要，退到远处观察整体画面效果，经过调整后得到最后的效果。

3.6.7 手的绘画表现

“画人难画手”的结论可以说是经久不衰，通常大家在把脸画好之后要画手的时候却不知道怎样下笔，这也成为每个学画者的共识。由于手的关节多、变化大，所以手的造型就很难把握。手是由手腕、手掌、手指三大部分组成，整体造型特点呈现一个梯形，从手掌到手指递减变细，手指的关节比例也是依次变短。从手的手心面看手掌和手指的比例是3:4，从手背看手掌和手指的比例是4：3。在画手的时候也应该从整体入手，并注意透视渐变规律，手指要画得优雅纤细一点。

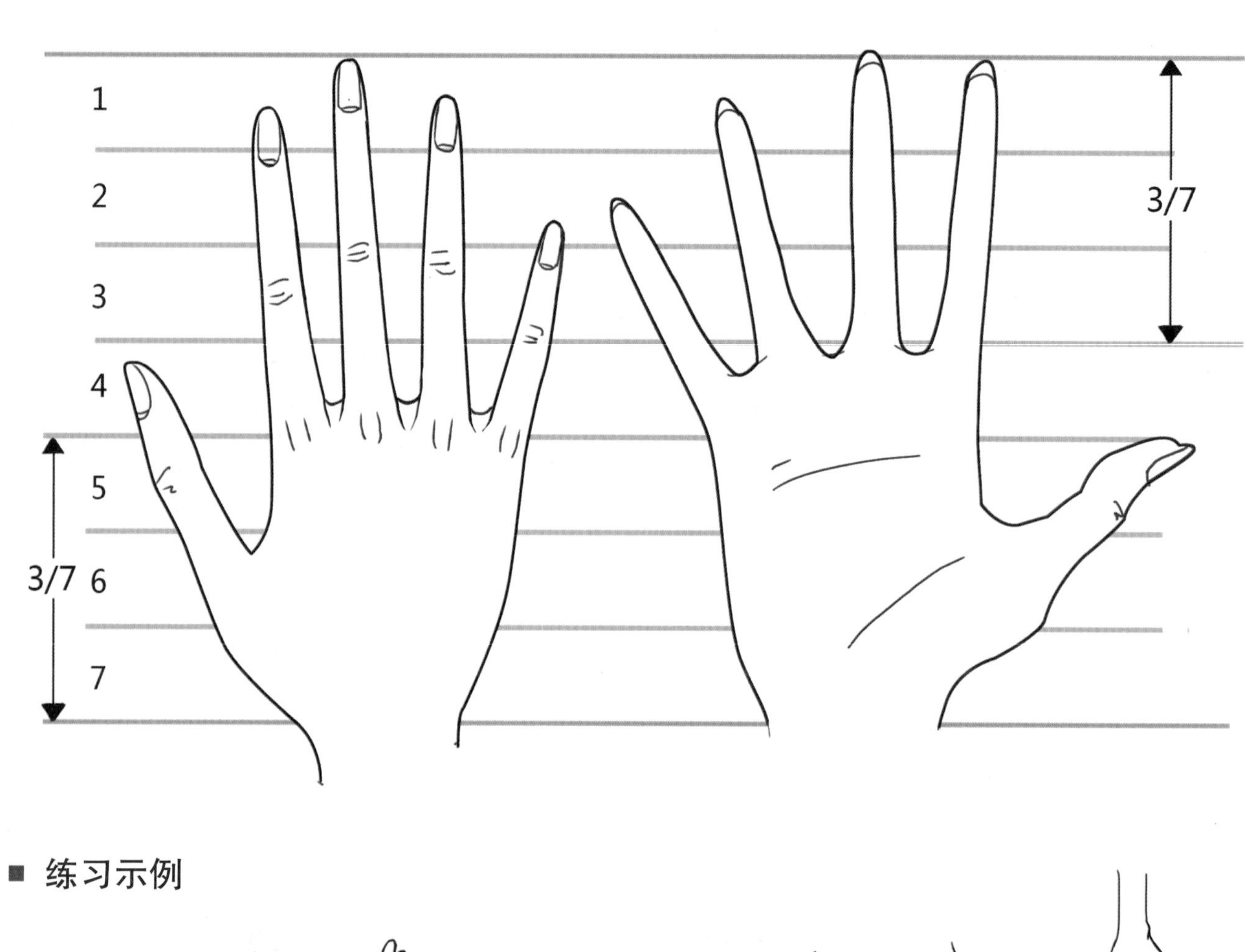

■ 练习示例

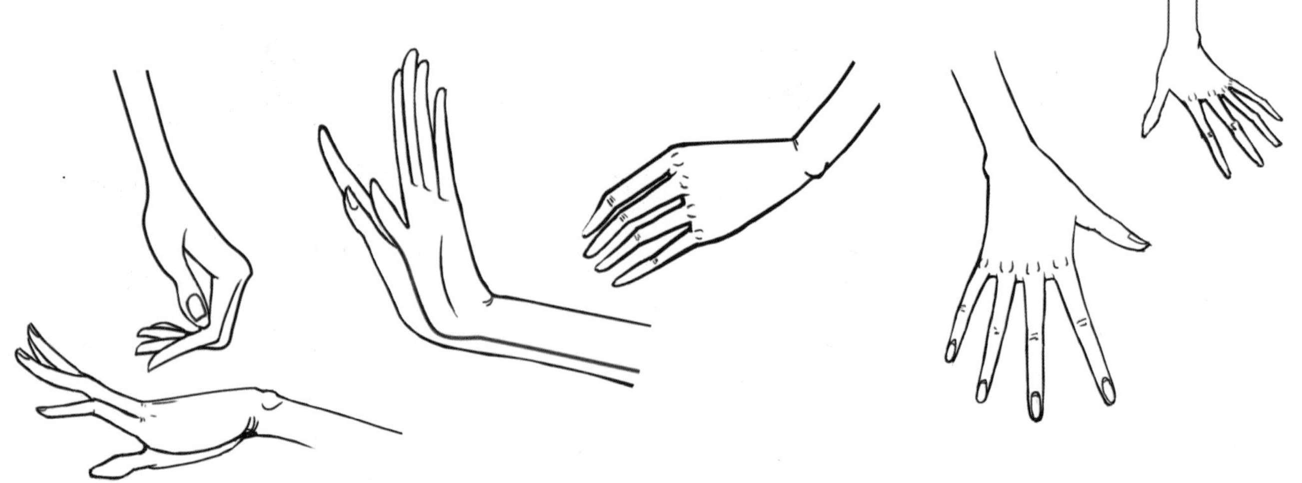

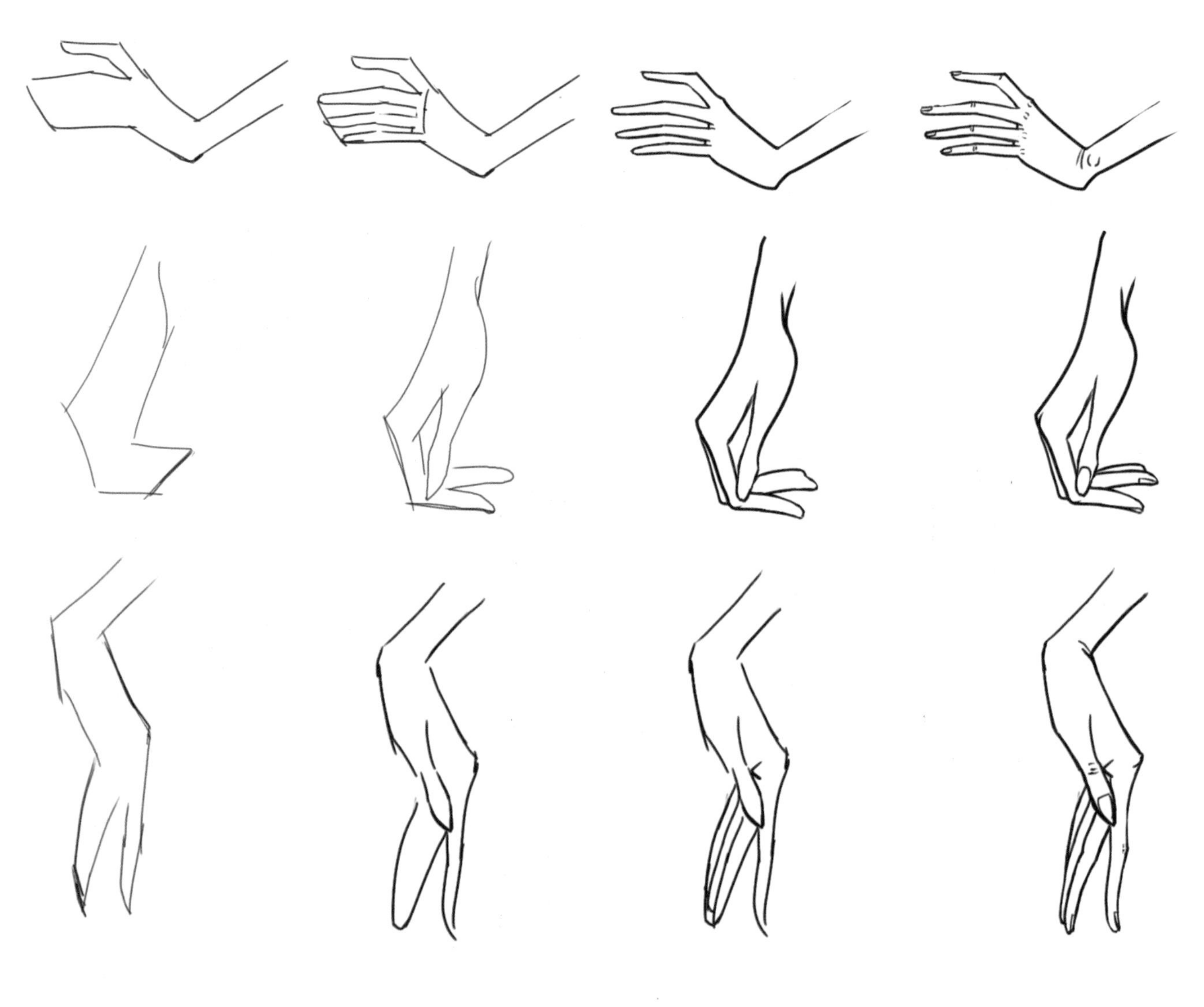

3.6.8 脚的绘画表现

尽管大部分时间脚上都穿着鞋子，但是脚部的刻画一点都不能马虎。特别是脚踝与鞋的处理，内脚踝要比外脚踝的位置高，脚的长度接近头的长度，在画脚的时候可以对脚的长度稍加夸张，画得修长一些。因为角度的关系人的脚也有着不同变化，穿高跟鞋的情况下从正面看脚跟越高则脚的长度就越修长，穿平底鞋时从正面看脚会显得短且略宽。此外不能忽略前后脚的透视关系，后面的那只脚应当处理得远一些。

■ 练习示例

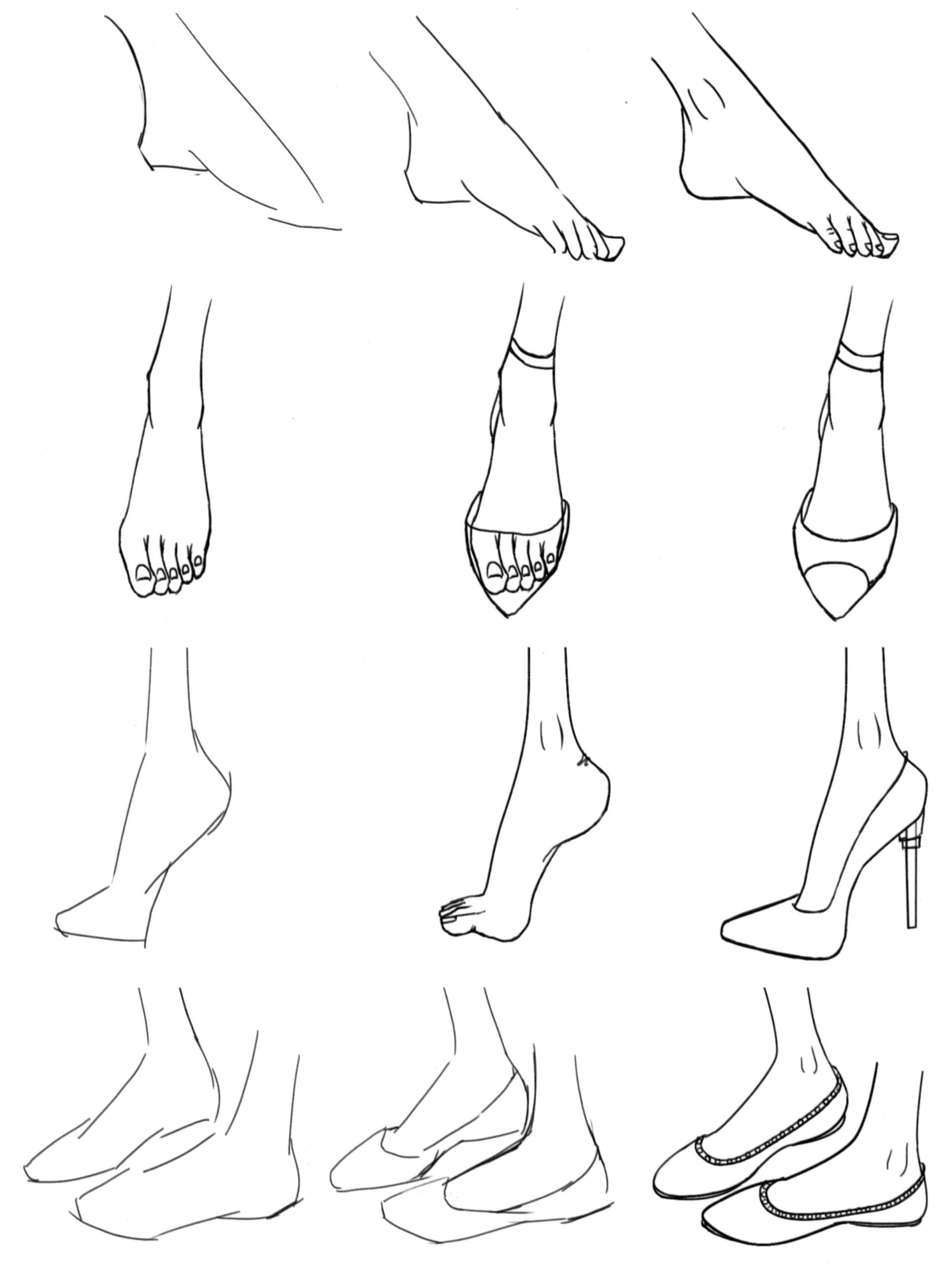

第4章 人体着装绘制技法

通过掌握人体知识并练习人体绘画后，接下来我们可以进行下一步的学习——为人体着装，这是服装画学习中的重点也是难点。本章通过对人体支撑点、光影、褶皱的表现这三个知识点的学习，可以清楚地了解和运用人体的着装规律和技法，对后面要学习的人体着装形体表现也更容易理解和上手。

- 服装画人体支撑点
- 服装画人体着装光影表现
- 服装画人体着装衣褶表现
- 服装画人体着装形体表现

4.1 服装画人体支撑点

问： 当画完人体之后就要考虑如何为其穿上衣服，那么穿在人体上的服装到底怎样来表现呢？有什么规律可循呢？

答： 人体着装要考虑两方面的原理和规律：一方面是面料自然下垂所承受的重力，另一方面是人体对面料的支撑作用力。服装就是源于这种衣肩和腰带的悬挂原理，掌握了这一点就能轻松地给人体模特穿上合适的衣服。

问： 人体支撑点是什么？在服装画表现中起到什么作用？

答： 一般来说，穿在人体上的服装主要是通过肩部、胸部、胯部、臀部等肢体部位支撑起来的。关节是人体动作的支撑点，随着人体动态的变化，人体支撑点的作用也有很大变化。

面料在身体支撑下受重力的作用会向下垂，同时又随着人体的动态变化而产生各种丰富多彩的褶皱，这些褶皱会因为材质不同或厚薄差异产生不同的形状，但如果没有了身体的支撑，服装只能是一块面料平摊放在那里，变得平淡无奇。服装上的衣褶走向总是受人体关键支撑部位作用的影响，衣褶虽然不是结构，但它却是人体结构的外在显现，所以人体支撑点起到支撑服装、丰富服装形态的重要作用。

掌握人体的支撑动态规律对学习服装画很重要，这直接关系到效果图绘制的生动与否。

4.1.1 站姿人体支撑点

当人体呈曲线形站立时左腿承受身体的重量，同时左胯骨向左上方提，右胯骨在右膝盖向下的牵引下往下倾，上身右肩向上提，整个上身在腰部发生弯折，这样就形成了动态。在支撑点受作用的地方就会产生褶皱，也就是需要我们表现的部位。站立姿势的支撑点主要是肩部、肘关节和上提的胯部

4.1.2 坐姿人体支撑点

当表现坐姿效果图的时候，腿部的处理是比较重要的地方，身体这时发生了两大弯折，这两大弯折处的膝关节和胯部是身体弯曲作用的关键点，也是服装受支撑和拉伸的地方。

4.1.3 弯腰时人体支撑点

当人弯腰的时候，身体在腰部发生大弯曲，上身在肩部的牵引下向下倾，臀部向上提，同时腰部受两方作用力发生重大弯曲。

4.2 服装画人体着装光影表现

在画完线稿之后，为了让作品更具体积感和真实感需要加上明暗效果。在处理明暗效果时头脑中一定要有这样的意识：体是由几个大块面组成的，避免多余的明暗尽量做到整体；能用三个调子表现就不要用四个调子；组块简单，上色概括。

4.2.1 人体投影

先从立方体和球体入手，光线从左上方射来，立方体被分为三大面，棱角分明；圆球的光影效果平滑，色阶过渡微妙，这些在服装效果图中都是有体现的。

4.2.2 衣褶光影

通常情况下产生投影的地方会出现在头部下面的脖子、腋下、胸部的衣褶、手臂内侧、大腿下侧、四肢关节的褶皱、服装的袖口及下摆等地方。

4.3 服装画人体着装衣褶表现

画服装画的大部分时间是在画衣褶，不同衣褶表现不同质感的服装，也能表现不同服装的宽松度。有时候衣褶也会以一种设计元素出现在服装中。衣褶有很明确的指向性，它既能明确指明运动方向，又能指明结构转折。在画衣褶时应当记住那些经常出现的衣褶形状，这样才能举一反三，更好地画出我们要表达的衣褶。经常接触到的衣褶分为5种：管形褶、兜布褶、螺旋褶、顶拉褶、折线形褶皱、Z字形褶皱等。

4.3.1 管形褶

拿一块面料，捏起一角提在手上，让面料自由垂下就会产生从手中的一点放射出管形褶皱来。其特点是：衣褶都是从一点延伸出来的，每条衣褶的走向都指向对面料作用的那个点。这种褶皱经常出现在宽松裙子的裙摆。

4.3.2 兜布褶

同样取来一块面料抓住上面的两个角，让中间部分垂下来，褶皱就会从抓住的两个角辐射出来并在面料的中间部分交汇，这时兜布褶就产生了。它的特征是衣褶是由两个作用点延伸出来的，衣褶指向两个方向。兜布褶通常被用在上衣悬挂垂搭的服装样式中，如比较宽松的吊带装。

4.3.3 螺旋褶

螺旋褶经常出现在人体的肘关节、膝关节及腰部地方，当人体折叠时，关节的内侧会出现衣褶的挤压，衣料会向外辐射环绕在臂膀上，形成一圈一圈环绕身体周围的褶皱。从型体上看衣料如同嵌入在衣褶内一样。这种衣褶的感觉很像生活当中的手风琴，全拉开的时候是平的，当向中间收的时候就会出现很多褶皱。

4.3.4 顶拉褶

人体抬臂的时候，在腋下会出现向手臂方向延伸出来的褶皱。这种衣褶带有很强的方向感，是由人体某一部位向一方运动拉伸的结果。顶拉褶经常出现在人体运动状态中，如手臂向外运动、抬腿、人体转动腰部时。

4.3.5 折线形褶皱

管形褶皱在服装的穿搭当中会变弯、发生折叠，就产生了折线形褶皱。如果转折越接近直角，折线就会越明显，有棱有角。这种折线形褶皱经常会出现在比较宽松的面料中，如飘逸的长裙。

4.3.6 Z字形褶皱

有一些面料不易起皱，但有些面料却很容易留下褶皱，比如在关节处的褶皱，有时关节伸直了褶纹还是会存在，这时就出现了Z字形褶皱。其实这种褶皱与人体动态的关系不大，通常会在表现服装的面料质感时出现。

4.4 服装画人体着装形体表现

服装包裹在人体上，无论它宽松还是紧身都必须在服装效果图中正确地表现出来。通过前面学习的人体、光影、褶皱的知识，下面将通过具体的实例将服装在人体上的着装技法演练一下。

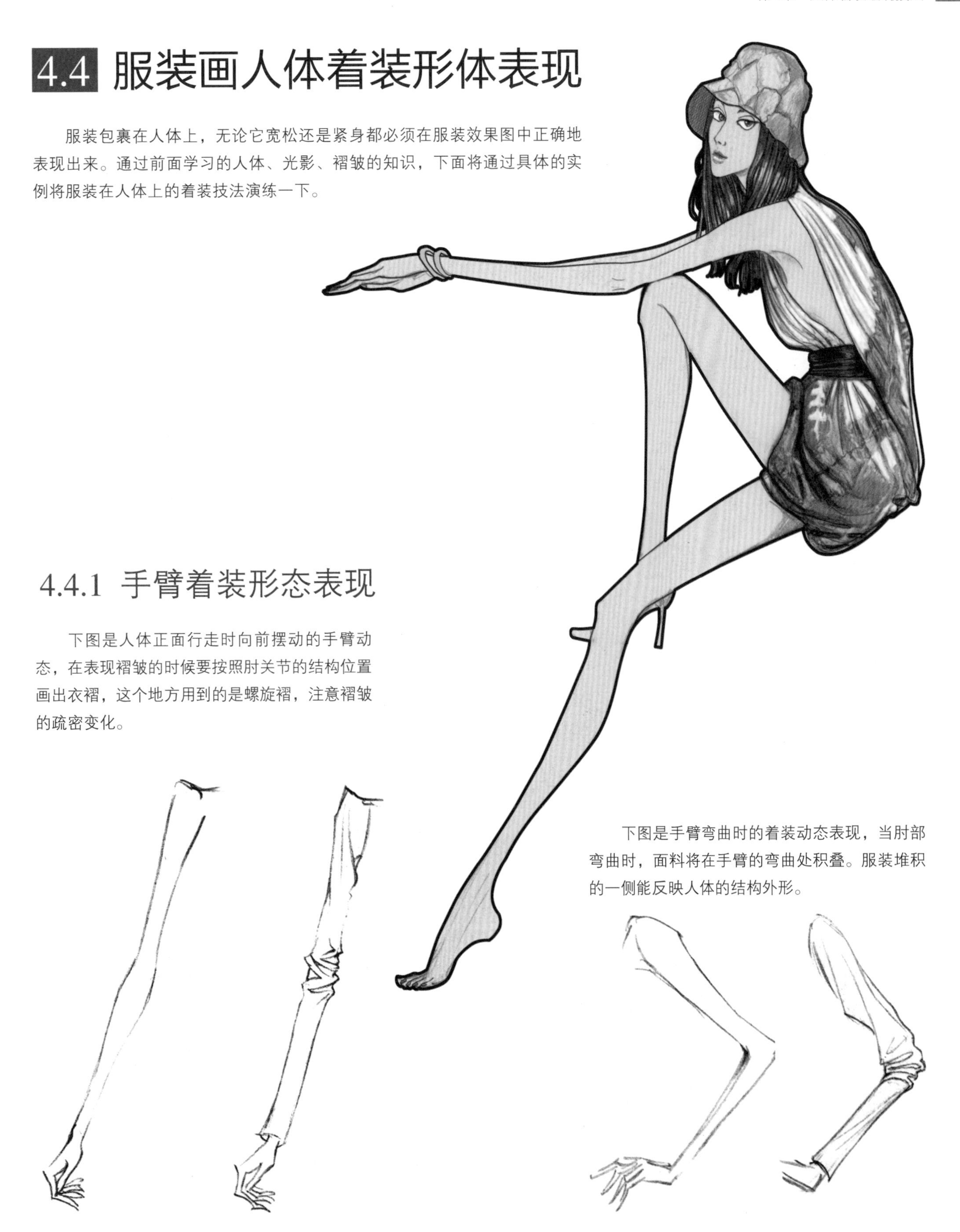

4.4.1 手臂着装形态表现

下图是人体正面行走时向前摆动的手臂动态，在表现褶皱的时候要按照肘关节的结构位置画出衣褶，这个地方用到的是螺旋褶，注意褶皱的疏密变化。

下图是手臂弯曲时的着装动态表现，当肘部弯曲时，面料将在手臂的弯曲处积叠。服装堆积的一侧能反映人体的结构外形。

4.4.2 腿部着装形态表现

人体在行走的时候，一只脚在前、一只脚在后，裆部成了主要的受力部位，因为受胯部及腿部拉伸的影响，这里的衣褶又多又密。

在画腿的3/4侧时，应采用自由下垂和外形轮廓的原理表现褶皱。骨盆使得臀部成为一个受力点，当右腿在垂线上时，面料会从这一点自由下垂，根据另一条腿的动态，面料的下垂形状还会发生各种变化，使得臀部再次成为关键的拉力点。

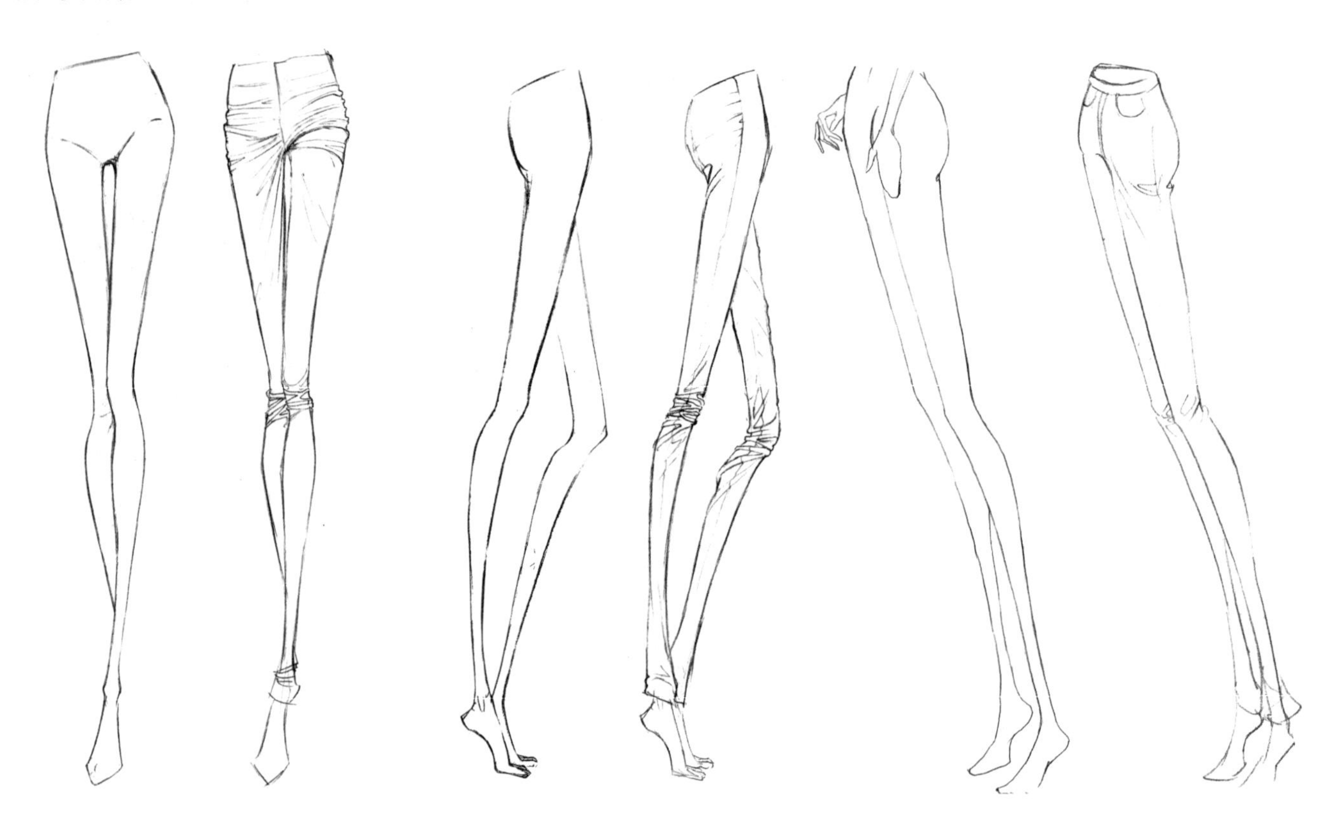

当腿部弯曲的时候，膝盖和后面的臀部成为两个拉伸点，衣褶在这个部位出现的会更多。随着衣服的宽松变化，衣褶也会有不同的变化，宽松时褶皱比较大且非常的概括；衣物比较紧的时候，衣褶比较细长，且比较明显地展现人体的结构形体。受力点使得裤腿的一侧自然下垂，另一侧贴合腿部形成裤子外形。注意不要将下摆线画成一条直线，下摆线应该呈半圆形，并圆润地转到服装的后方。

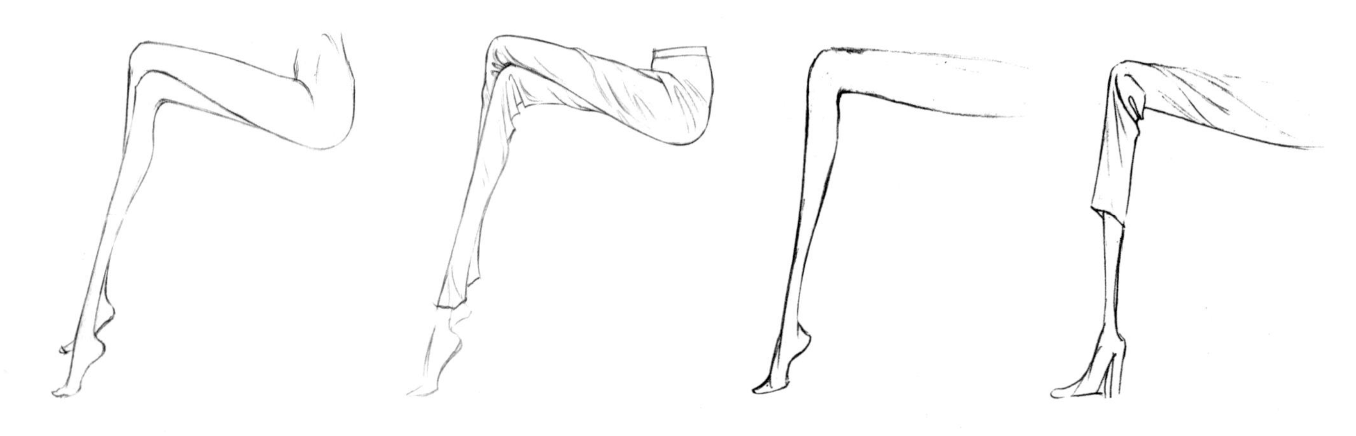

4.4.3 人体着装整体表现

这款束腰礼服的衣褶是从腰部辐射出来的，考虑到这款面料是细腻轻薄的纱质面料，所以衣褶应该处理得更加细长与飘逸。

这个动态的重心是在两腿之间，上身与下身在腰部发生了轻微的转体。因为肩部的向外扭动而拉伸了面料，胯部的向上提起而牵动了衣服，形成了顶拉褶，后面飘带的处理应更加轻松。

第5章
服装局部及单品绘画表现

局部成就整体，细节造就风格。每一件服装都是由袖子、门襟、口袋等服装局部构成，每一系列风格的服装也都是由上衣、裤子、鞋子等服装单品搭配而成。本章主要讲述服装局部与服装单品的绘画表现，从局部开始慢慢过渡到画一件完整的服装单品。通过对服装局部和基础款型的练习与掌握为画服装画整体打下基础。

- 服装局部表现
- 服装单品表现

5.1 服装局部绘画表现

服装的局部细节承载着服装的设计元素，它们修饰服装的样式并且体现了时尚潮流的风向标。服装的构成部件有很多，如领子、袖子、门襟、口袋、腰带等都可以作为主要的设计元素，为设计师提供发挥的创作空间，设计师也正是通过对服装局部细节的变化设计，才为人们呈现出绚丽多彩的服装。

5.1.1 领子的绘画表现

问：服装领子有那么多种，怎么来分类呢？画领子时应当注意什么？

答：领子与头部都是人们视觉注意力的中心区域，领子的设计在一件服装作品中有着重要的作用。领子大体可分为两种：一种是无领领型，另一种是有领领型，有领领型又可以分为有领座型和无领座型。领子的形状多种多样，在表现领子时应当把握好领子与脖颈的关系，以及领子自身的面积和宽度在整件服装的位置比例。

■ 无领领型

在一些连衣裙或其他服装中有很多无领领型的服装样式，因其自身的造型简约所以给人以独特的感觉，这些领型当中还有很多种造型样式，大家常见到的有鸡心领、V字领、单肩领、U形领、束带领、方领、钻石领、垂领等样式。

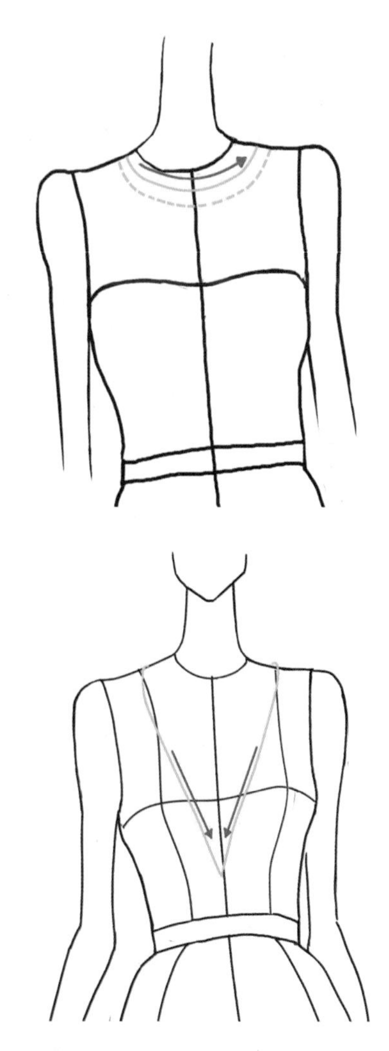

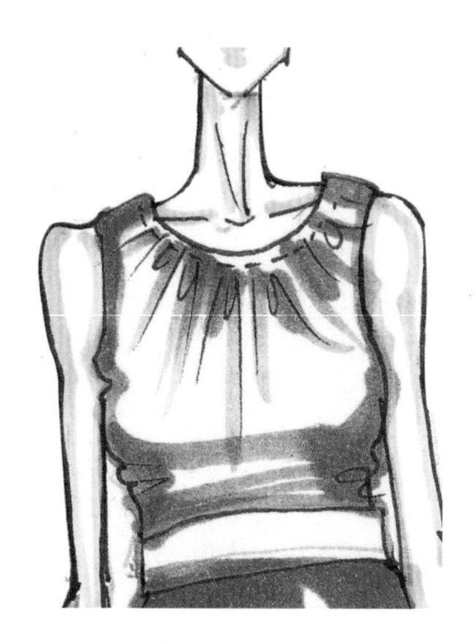

有领领型

如果要很好地体现有领型的领子样式，就必须要熟悉掌握它的具体造型细节，比如一个西装领包括领座、领面、领驳头等，最好结合服装的工艺去画。

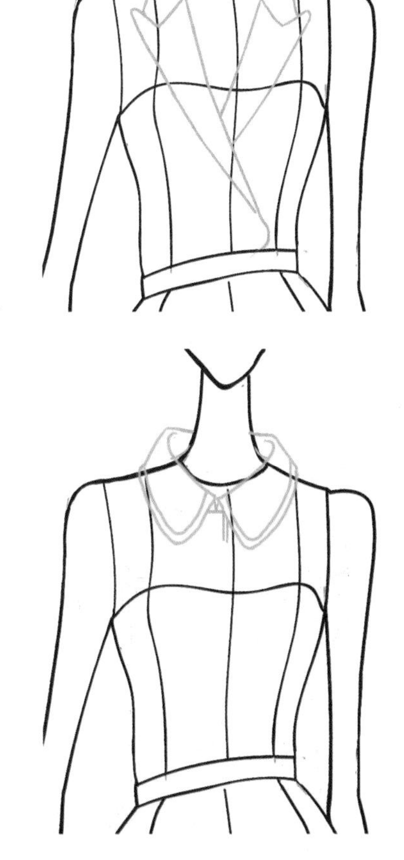

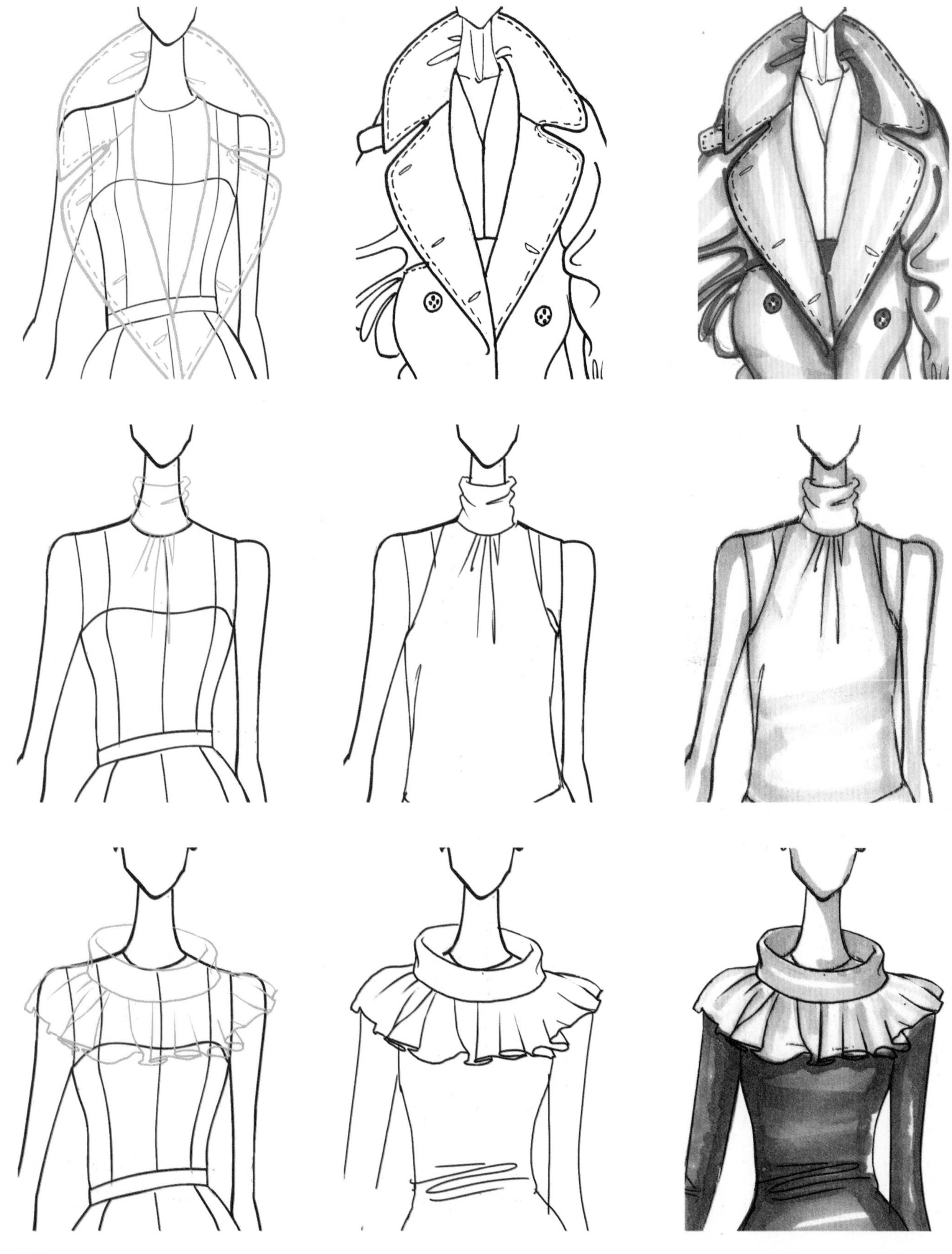

5.1.2 袖子的绘画表现

袖子有很多种袖型，常见的有衬衫袖、两片式西装袖、泡泡袖、钟形袖、蝙蝠袖、插肩袖等样式。

问：这么多不同复杂程度的袖型，有什么简单的方法来帮助我们理解和表现呢?

答：尽管有这么多袖型，但表现的方法基本是一样的，可以这样理解：画袖子就是在表现面料包裹下手臂的状态。手臂是圆柱形，所以我们首先要画出它圆柱形的体积感，然后根据不同的袖型画出样式的变化。此外要记住袖子在穿着时的两种状态，一种是手臂自然下垂伸直时，面料也会随着手臂自然下垂，这时袖子处于悬垂状态；另一种是手臂弯曲时，面料会在肘部形成褶皱，不同质地的面料堆叠效果也是不同的。

■ 练习示例

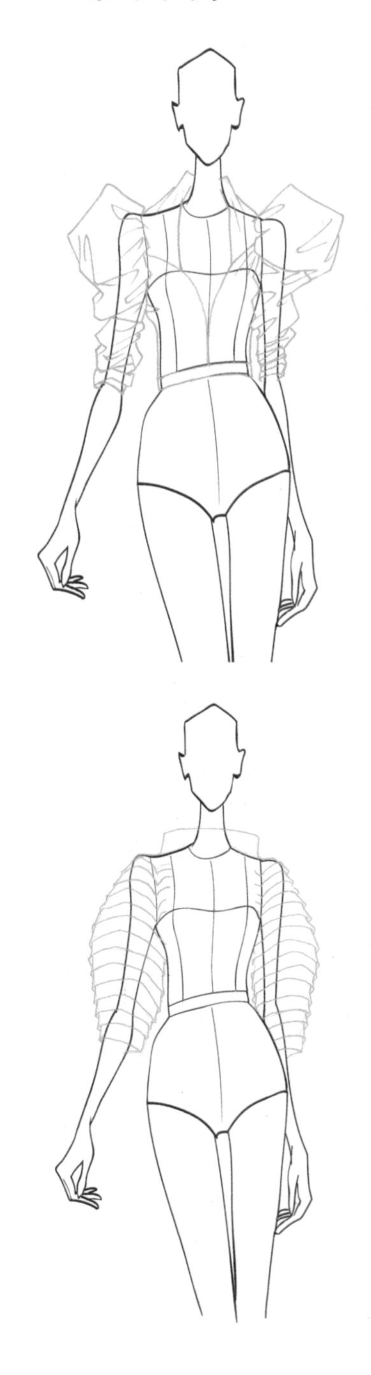

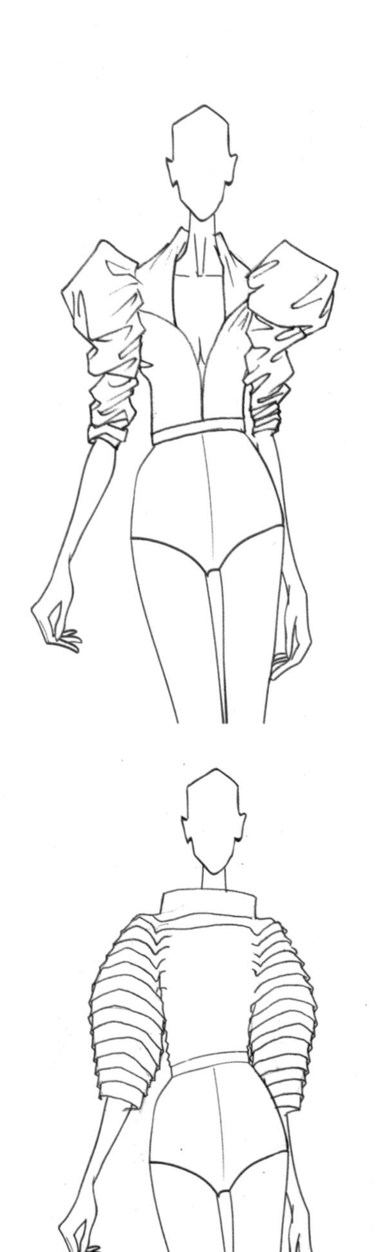

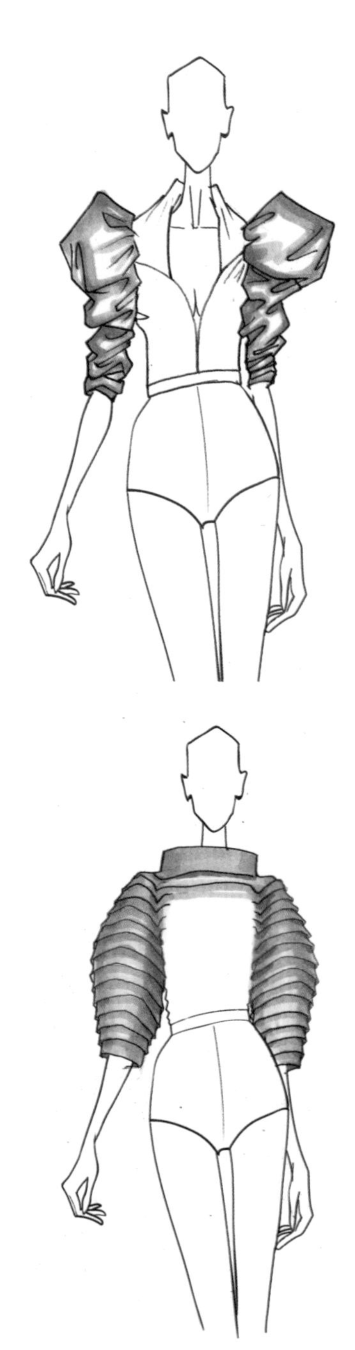

5.2 服装单品绘画表现

5.2.1 上装绘画表现

服装剪裁可以用人台作为模型进行立体裁剪，服装画也可以用这个方法来帮助初学者理解和表现。首先准备好一个动态人体图作为服装模型，并将人体的中心线和公主线画出来便于参考，然后在人体模型上进行绘制。

领子位于视觉的中心位置，所以从领子开始画起。根据领圈线首先画出领子，然后绘出上衣的轮廓线，接下来画出袖子、门襟、腰带，最后进行整体细节的深入表现。在画的时候我们要有全局意识，根据人体结构把服装合适地穿在人体上。

■ 练习范例

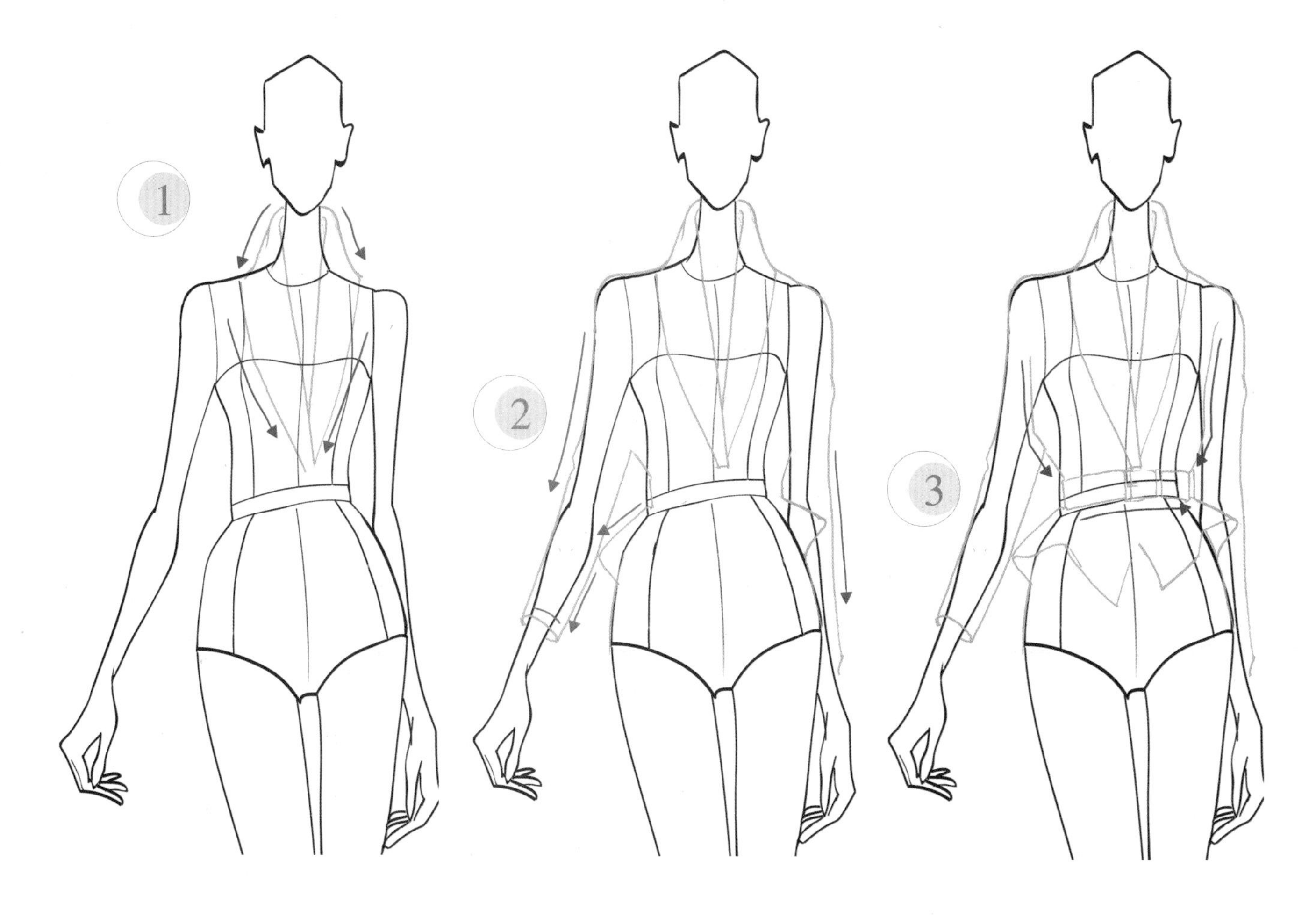

① 根据领圈画出领子的形状，领子要围绕着脖子弯曲，要注意线条的穿插。红色箭头代表着运笔的方向。

② 画服装的外形轮廓线。注意要根据人体结构、动态、形体走向，用流畅的线条来表现。

③ 画出腰带和袖子等局部形状，通过腰带和袖子表现出人体动态。注意处理好人体腰部、手臂与服装的关系，由于透视的原因腰带的弧线是向上凸的。

④ 开始表现服装细节部分，尤其是衣褶的表现，注意腰部的衣褶是从腰带处向外发散的，属于放射褶。

⑤ 用勾线笔流畅地画出上衣的线稿，注意在画的时候一边绘画一边调整形状。勾线时要注意线条的组织与穿插、明暗与虚实。

⑥ 给服装画上明暗调子以增强它的体积感，着色时要顺着衣褶发散的方向用笔。

练习示例

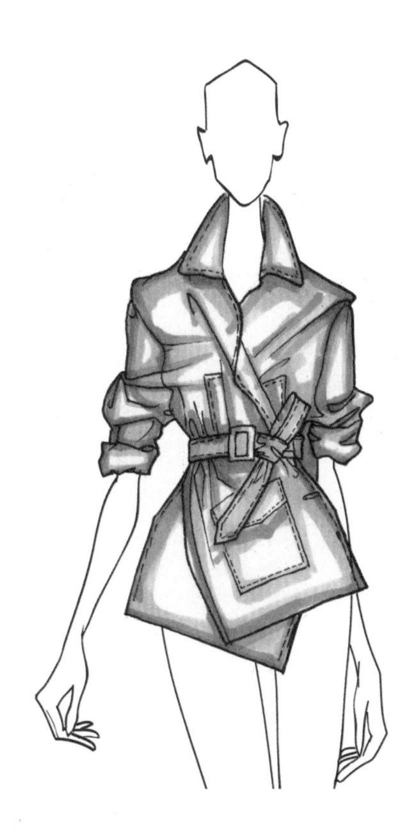

5.2.2 裙子绘画表现

裙子的款式千变万化，设计师只通过改变裙子的长度就可以变化出很多裙子的款式。若按照长度来区分裙子的种类，可分为超短裙、迷你裙、膝盖裙、中裙、长裙及地裙等。此外按照裙子的形状可分为一步裙、帐篷裙、鱼尾裙、百褶裙、蛋糕裙等款式。

尽管裙子的种类多种多样，但是表现的方法是万变不离其宗的。裙子从人体的腰部位置向下垂，包裹住臀部与大腿，所以在绘制裙子时首先要考虑腰线和臀围线的位置，然后从腰部向外发散褶皱，从腰部向下发散式地画出裙子的外轮廓。

■ 练习范例

① 首先根据腰围线画出腰节，然后从腰部向下发散式画出裙子的大体轮廓。在这里腰节的曲线和裤子一样都是向上凸显。

② 根据人体的姿势和腿的摆放方式，用波浪线画出裙子的下摆，注意下摆弯曲的弧度。裙摆前面看得见的部分与后面看不见的部分构成一个椭圆，要符合透视规律。

③ 画出长短不一的裙褶线，裙褶线的方向是由腰部发散出的。红色箭头代表裙褶从腰部向外发散的方向。

④ 用勾线笔画出裙子的线稿，勾线时注意线条的虚实变化，边缘轮廓线要实一些，内部褶线要虚一些。可以用不同型号的笔变换勾线。

⑤ 上色可以更好地表现裙子的明暗关系，上色的运笔方向要顺着裙褶发散的方向。

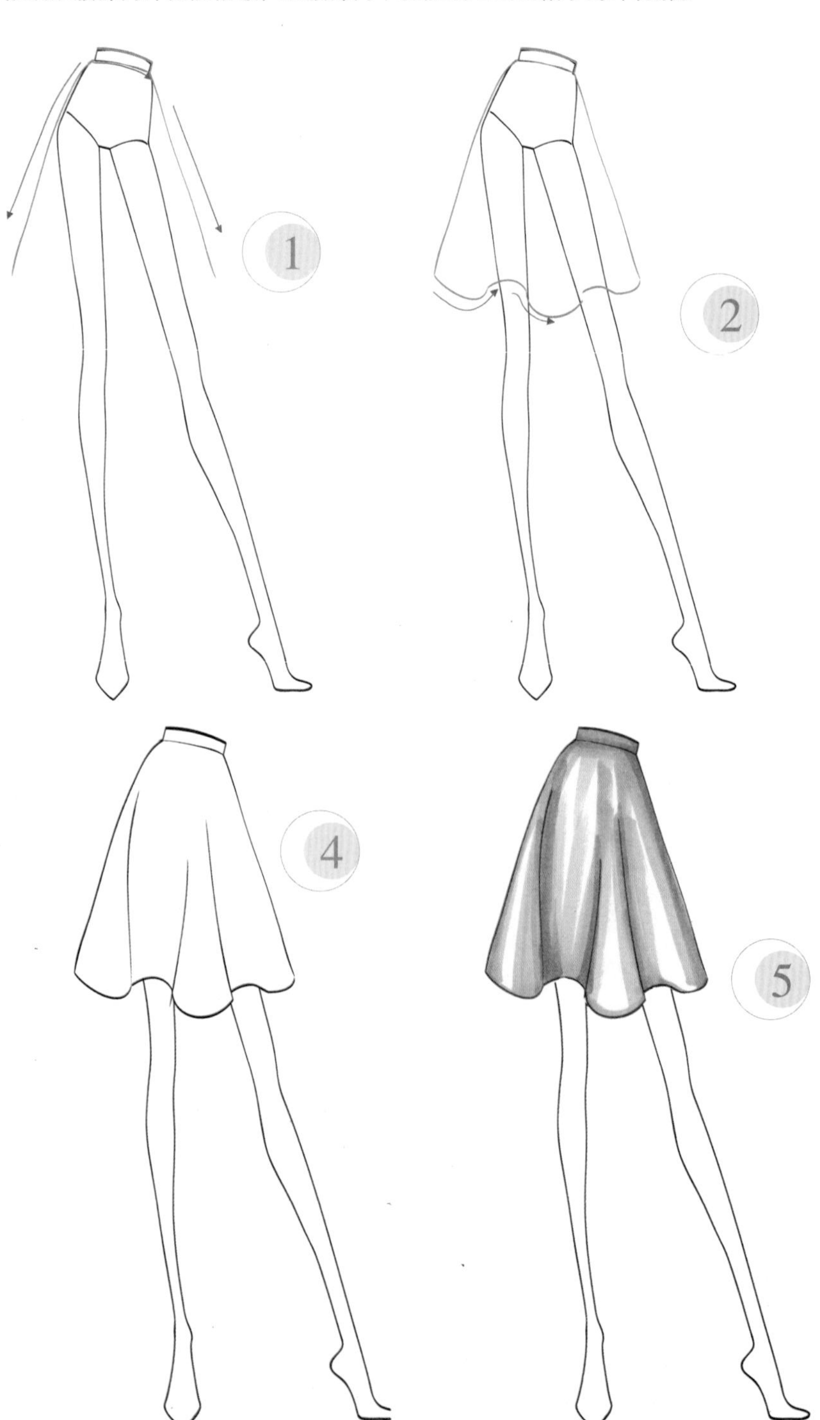

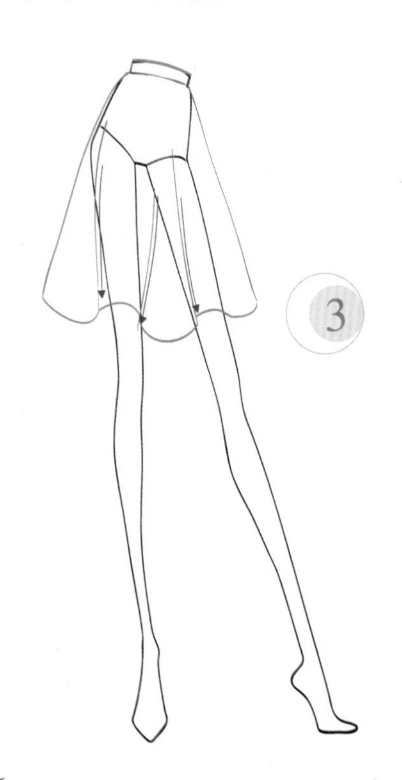

练习示例

一步裙　　鱼尾裙

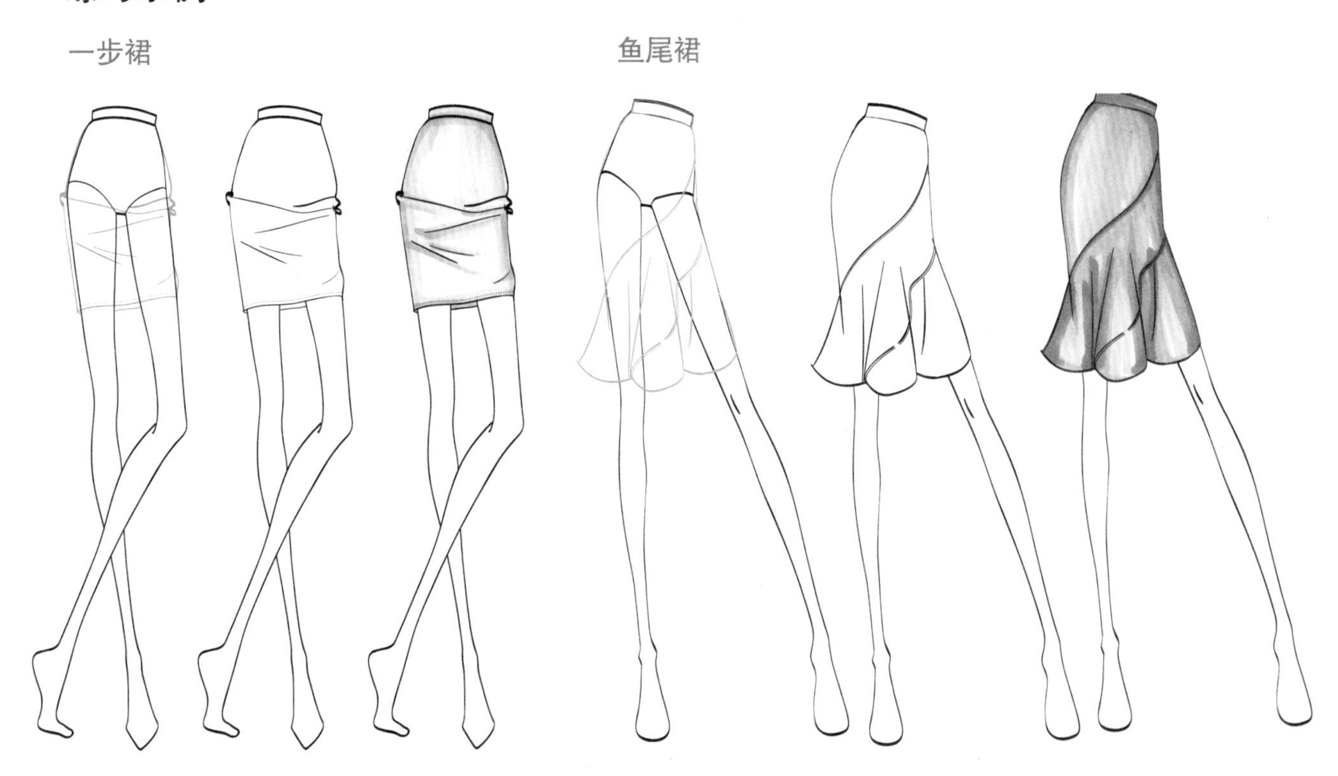

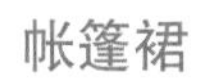

帐篷裙

长裙

蛋糕裙

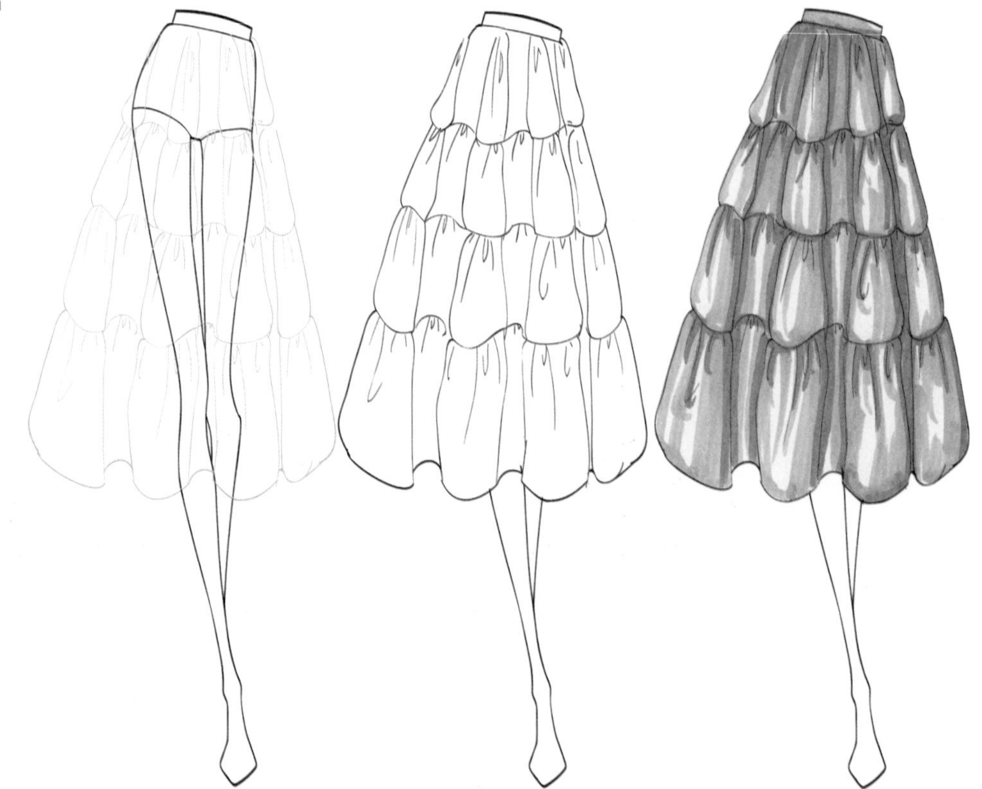

5.2.3 裤子绘画表现

裤子是被分为两个叉的裙子，这一点从裙裤中就可以看出，所以画裤子和画裙子有很多共通之处。裤子的样式随着裤管的变化而丰富多彩，从宽松到紧身，从象腿裤到铅笔裤。我们在画裤子时可以结合着画裙子的方法，把握住裤腰和裤管的变化规律来表现裤子的形态。

■ 练习范例

① 根据腰围线先画出腰节，然后顺着臀部和腿部画出裤子的外轮廓线，膝盖处稍稍凹进，线条流畅。这里的腰节正好在腰围线处。
② 画出褶皱，体现腿部结构。在关节处是螺旋褶，裤管处是拉伸褶。
③ 深入表现裤子的细节，画出裤子的口袋、纽扣、裤袢以及绗线。这类细节最好选择小号的画笔，表现会更加细致。
④ 进行整体调整，然后用针管笔画出裤子的线稿。同样注意线条的流畅性、虚实变化，以及褶皱的穿插关系。
⑤ 为了更好地表现裤子的体积感，给裤子铺设明暗关系。

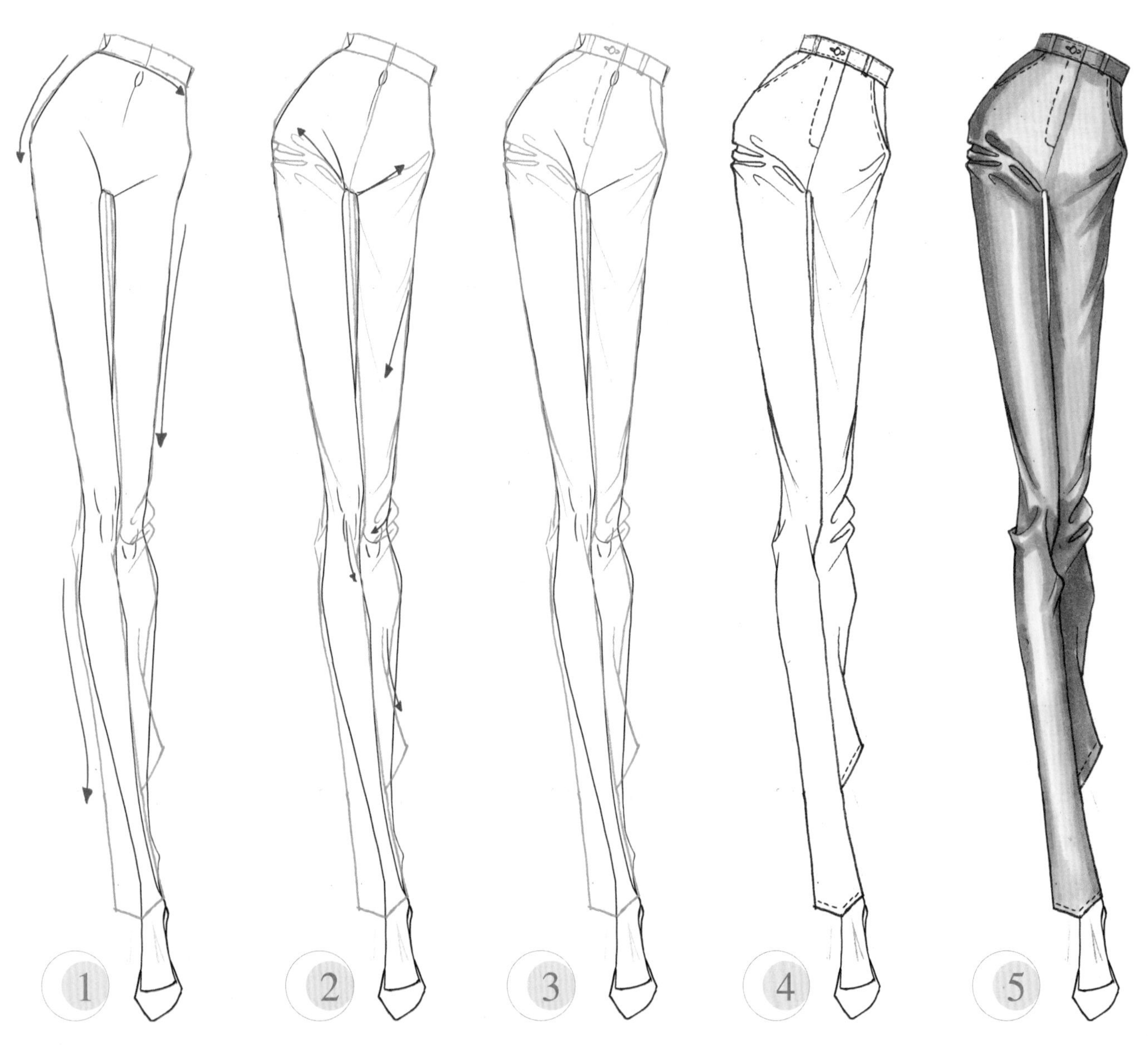

练习示例

哈伦裤

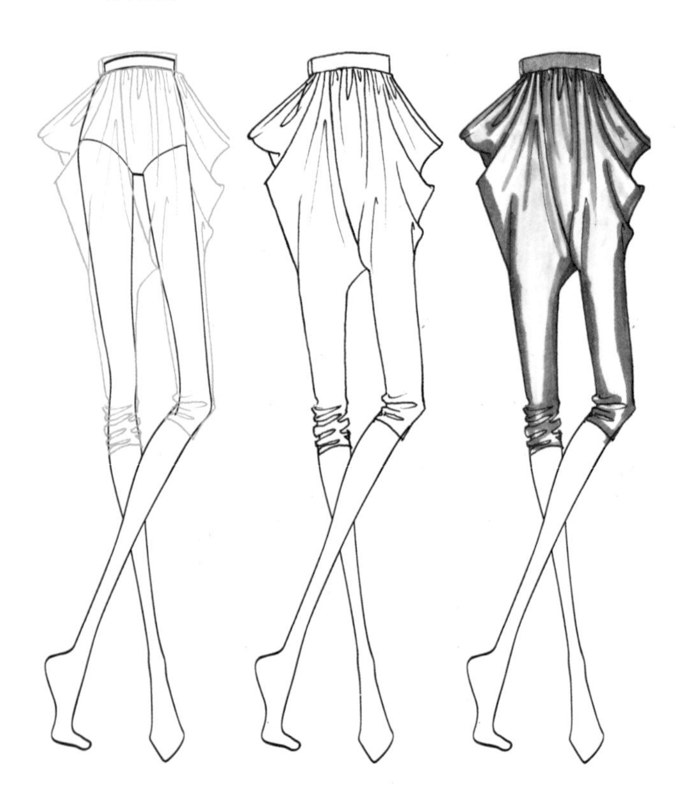

水兵裤

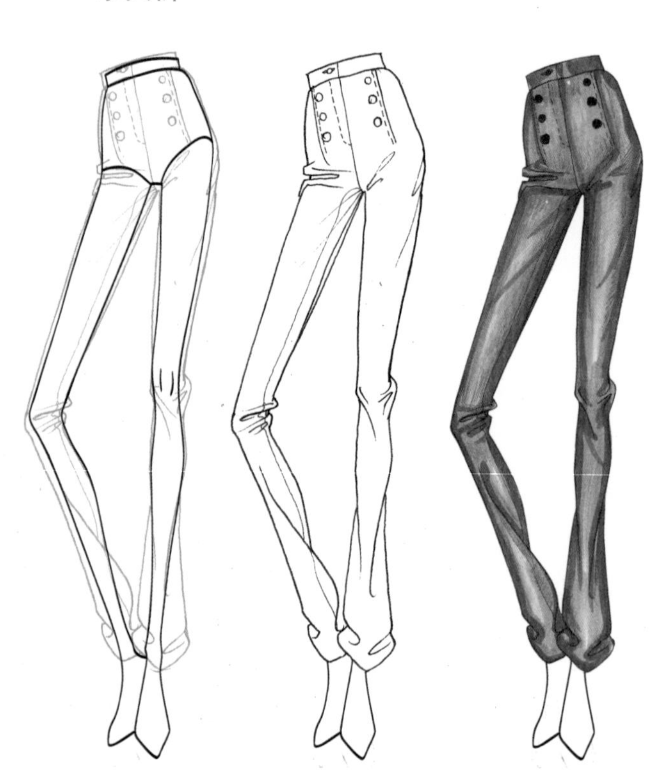

萝卜裤

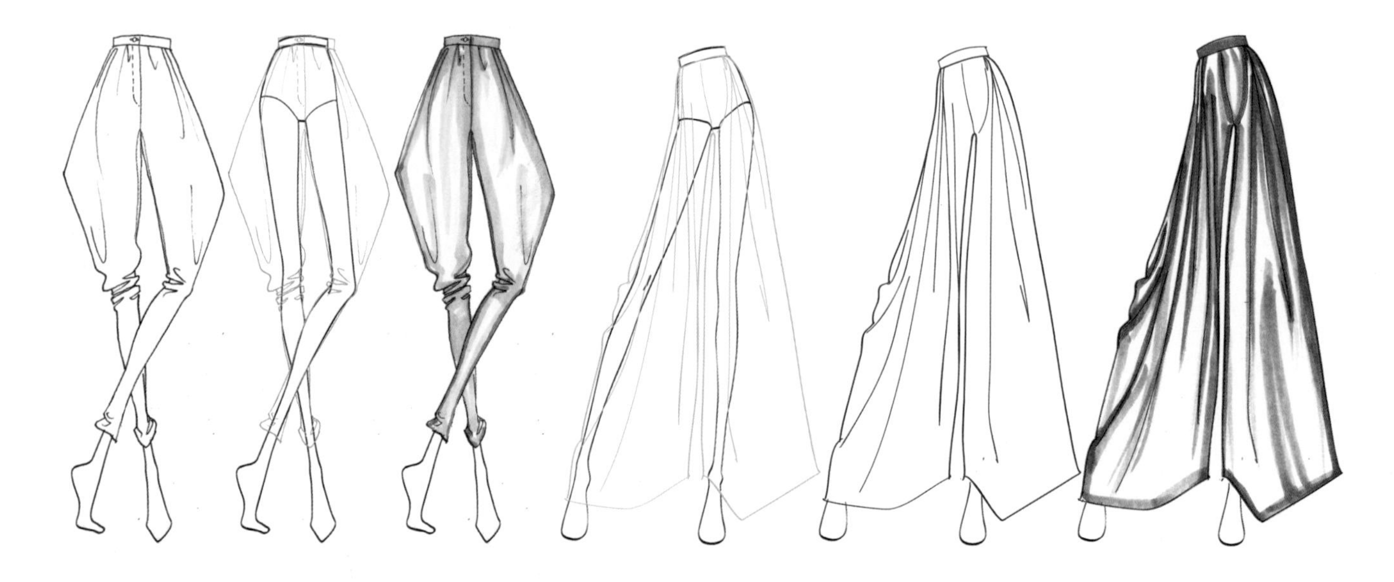

5.2.4 鞋子绘画表现

用合适的服装配饰进行点缀能够提高整体搭配效果。在一幅服装效果图中鞋子处于最下方的位置，它的表现时常会被忽略。在表现服装效果图的时候鞋子可以选择几笔带过，也可以根据自己的需求精雕细琢地去表现它。在画鞋子的时候要注意它的透视关系与鞋跟坡度的变化，要处理好后跟和鞋面的比例。

■ 练习范例

① 首先确定鞋子与地面的坡度，然后用铅笔轻松勾勒出鞋子的大体轮廓。

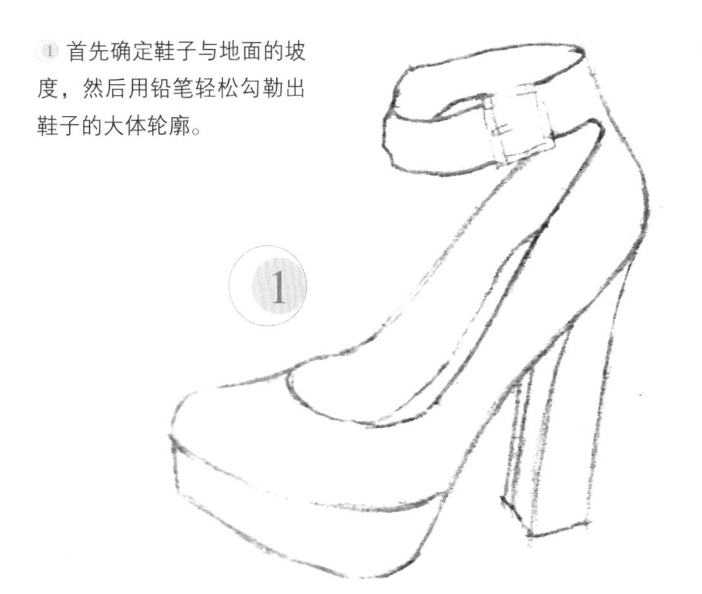

② 用针管笔描绘出鞋子的形体和局部细节。

③ 用画笔迅速平涂鞋的固有色，并铺设大致的明暗关系。这里表现的鞋子是一种有肌理的皮质鞋子，铺色时要预留出鞋子的高光。

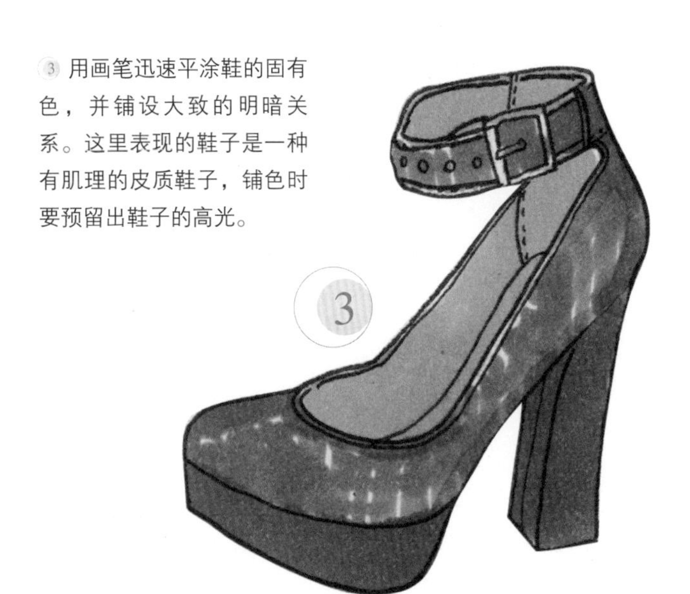

④ 整体调整。用小号画笔结合彩色铅笔表现鞋子的质感，强调鞋子的重点细节。

■ 练习示例

5.2.5 女包绘画表现

包是女性最爱不释手的饰品之一，在日常生活中通过包可以看出人物的性格、年龄以及职业。在服装设计与服装搭配中加入包的装饰能够更直接地定格设计形象。

■ 练习范例

① 用铅笔侧峰的长线条绘出包的轮廓和局部的基本形状。

② 完成包的轮廓及基本形状后，描绘包的款式结构。

③ 深入描绘包的款式细节，边画边调整。如果有条件的话，画完线描稿后可以多复印一份用来做备用练习。

④ 为提包着色，用马克笔的大排笔平涂出包的基本色调，并初步进行明暗关系处理。

⑤ 结合水彩铅笔刻画包的具体细节，可以有选择性地突出包的特点，比如包上的金属扣件可以特意强调一下，以增加画面的亮点。

■ 练习示例

5.2.6 饰品绘画表现

■ 太阳镜练习范例

看似简单的东西单独拿出来画，会发觉有很多细节值得表现。太阳镜是由镜片、镜框、镜架这3个部分组成，其中镜片的表现应当稍加注意，有的镜片是半透明的，有的是高反光的，通过处理镜片的反光能够充分地表现它的质感。

① 起稿画出大体轮廓，先用长线条画一个长方形，然后用直线切出两个椭圆形镜片。
② 画出镜框和镜架的具体结构。
③ 用勾线笔画出眼镜的线描稿。
④ 给镜框和镜架上色。先用淡色铺眼镜的大色调，然后趁颜色还没有干时用深色笔点画出它的晕染效果。
⑤ 给镜片上色。先用淡灰色大笔刷画出镜片的大色调，然后用白色提出镜框的高光。画镜片时注意表现它的细微变化。

太阳镜练习示例

腰带练习范例

① 用铅笔画出皮带的大体结构。在作画中绘制长弧线时可以靠手臂来运笔。

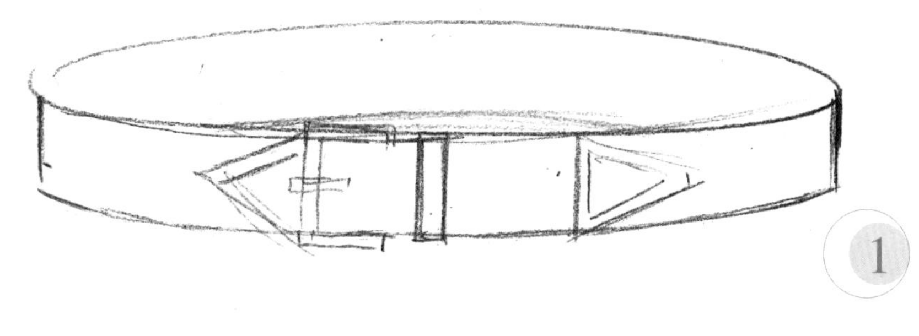

② 描绘皮带的细节，线条要简练清晰，为后面上色提供方便，注意透视关系。

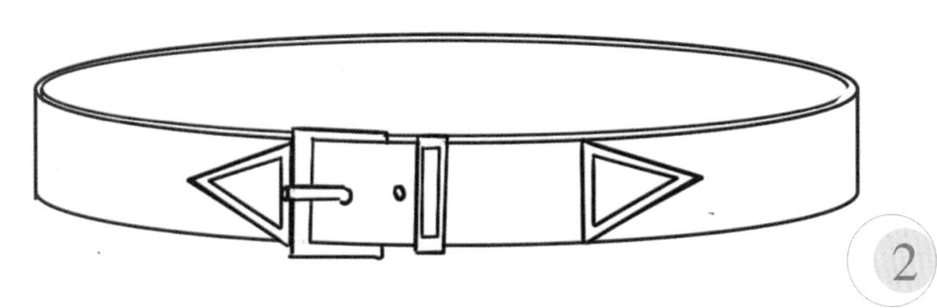

③ 用大色块给腰带着色，颜色要有明暗变化，表现出立体感。服装饰品作为服装效果图的搭配品，可以简洁地表现。有时为了效果需要，可以适当地夸张表现。

腰带练习示例

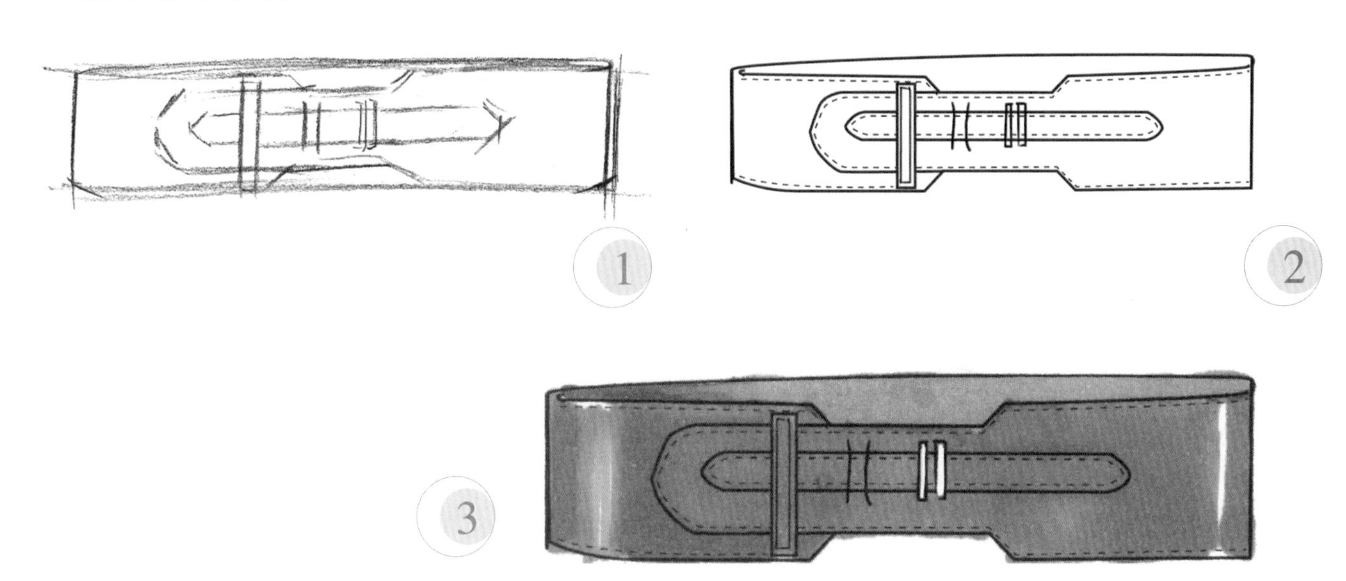

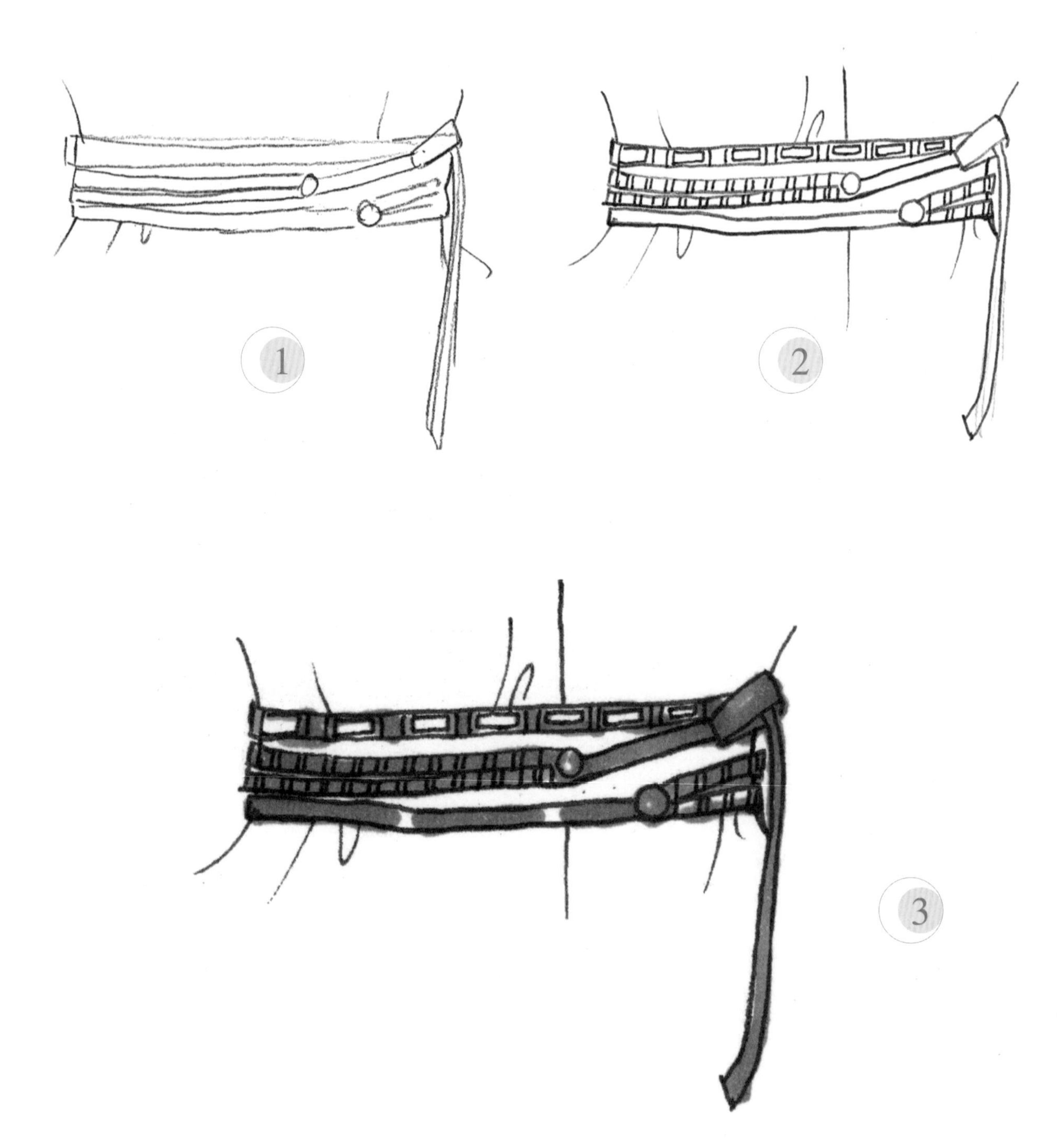
1
2
3

第6章 不同面料与质感的表现技法

色彩、款式、面料是服装设计的三大要素，当设计师向观众展示自己的设计草图时，面料的表现至关重要。在表现服装的面料与质感时，主要采用水彩颜料进行上色，马克笔、彩铅等绘画材料为辅。每个绘画材料都有其自身的特性，在这里选择水彩作为主要绘画材料是因为它的色彩表现能力更强，并且通过自己对颜料的调和还能够得到更加丰富的色彩。

- 不同面料的认识
- 不同面料的绘画表现

6.1 针织面料

常见的面料织物可以分为梭织和针织两大类，针织因其织法的多样性使服装所呈现的效果更加丰富多彩，它的可塑性也为设计师提供了更大的设计空间。常见的针织方法有麻花针法、方格式针法、扭绳式针法、交叉罗纹针法等。

■ 练习范例

① 确定好人体的基本比例和动态，然后用铅笔侧峰以直线形式描绘出大致轮廓。这一步要做得简洁、概括，运笔轻松、自由。

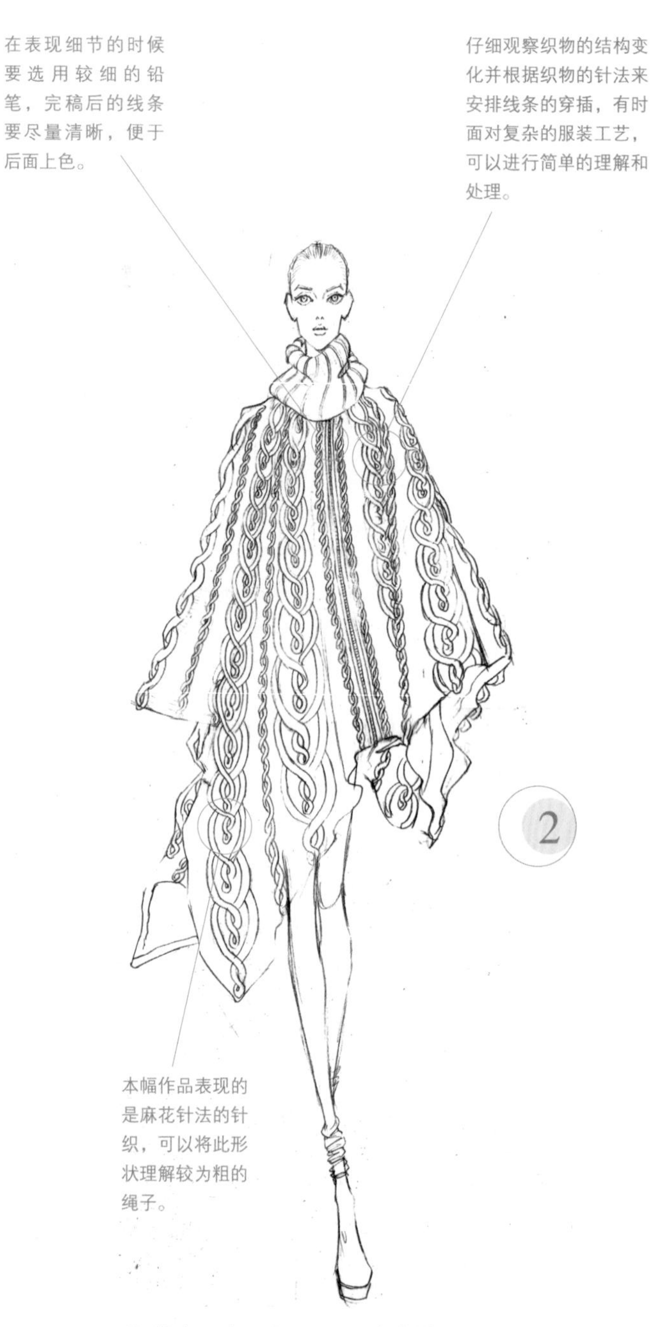

② 基本形态画好后，细致地描绘出人体和服装的细节，如发型、脸部、服装、饰品等。

在为作品上色时，有可能把握不好色彩调和比例，不知道调和出来的效果是什么样的，此时可以在旁边放一张相同材质的画纸作为试纸，来进行试色。

此时人体皮肤的颜色也许还未完全干透，注意画笔不要碰到还未干的皮肤色，以免两个颜色互相渗透。

注意第二遍上色与第一遍上色要有一定的色差，这样才能更好地表现出立体感。

注意第一遍颜色要略浅一点，后面为皮肤画阴影和表现立体结构的时候就可以使用深一点的颜色。

3 用平涂的方法均匀地给人体上色，人体颜色选用赭石、熟褐、玫瑰红3种颜色调和而成（调和比例为5:3:2）。

在使用水彩时，特别要注意不要碰到还未干的区域，以免弄脏画面。

4 画完肤色后，用大号的水彩笔为服装着色。

5 在画完第一遍服装色后，皮肤色也干得差不多了，这时再依次为皮肤和服装的暗部上色。

⑥ 用较小的笔为皮肤、头部和服装的细节上色，然后用勾线笔勾勒整体外轮廓线。

刻画细节时要有整体意识，应该从整体开始着色，再到具体的细枝末节，一定要做到主次有序。

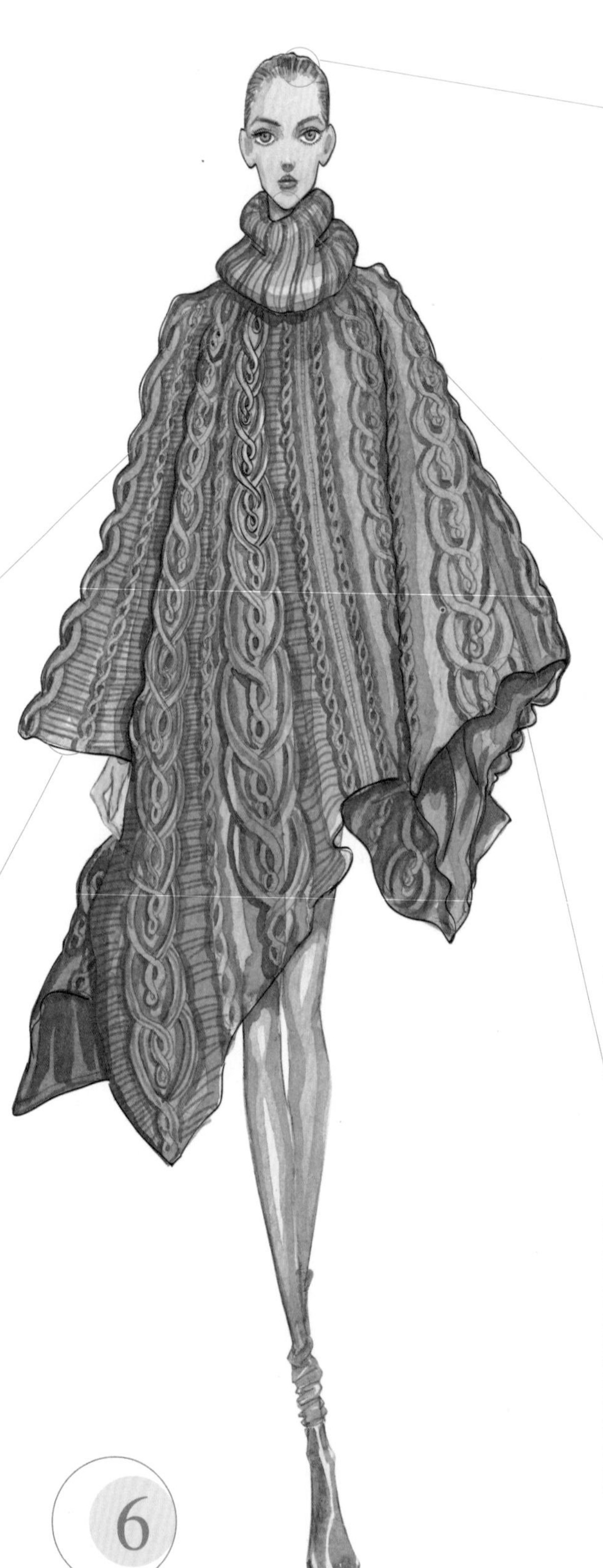

在水彩颜料的基础上，用尖头的彩色铅笔顺着发缕方向画出头发细节。

用小号的水彩笔给针织麻花画出投影，注意不用画得面面俱到，在服装领口附近的地方画一部分就行。

用彩色铅笔描画头部边缘轮廓，并在脖子与服装相交的位置刻画头部的投影，以增强头部与服装前后的空间感。

用马克笔画出针织细节，注意用笔要顺着服装的起伏而变化。

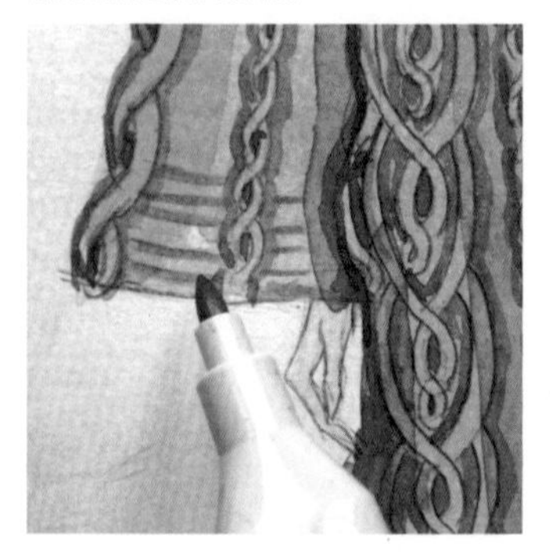

用色粉笔在服装投影部分做一些过渡处理。

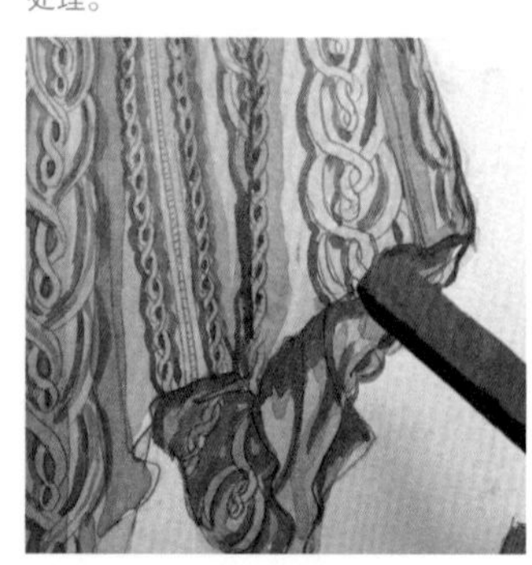

6

■ 练习示例

6.2 绸缎面料

绸缎类面料最大的特点就是质感光滑、颜色亮丽。在表现绸缎面料服装的时候，要从绸缎的光感强这一特点入手，通过对高光的表现来体现绸缎的质感。

■ 练习范例

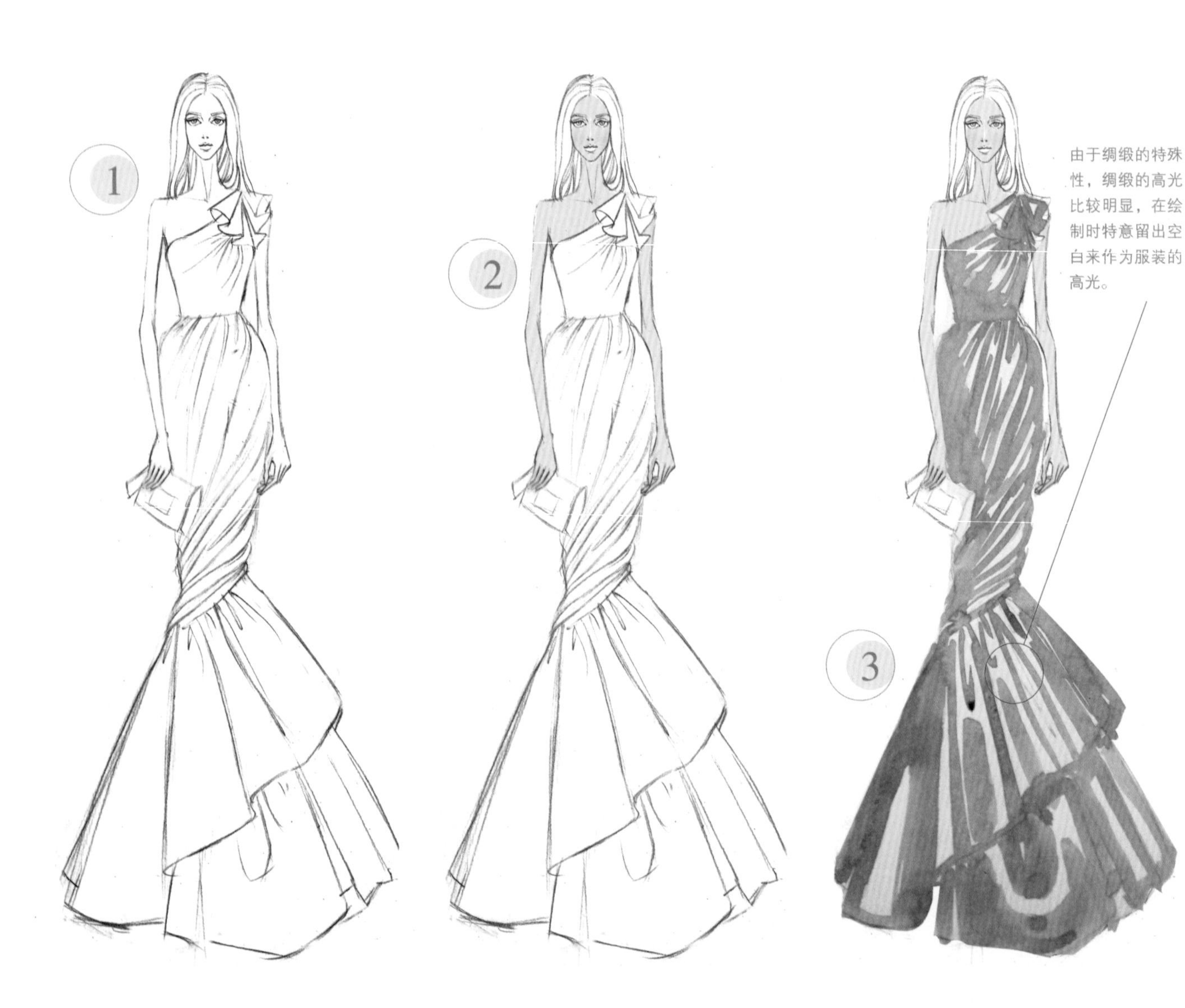

① 根据前面所讲的方法用铅笔绘制好线稿，注意人体的比例和重心，做到线条流畅、结构清晰。

② 用大号的笔以平涂的方法画出皮肤的颜色，第一遍颜色要略淡一些。然后在肤色为半干的状态时画上腮红，增加气色。

③ 此案例的服装由于结构的原因出现比较多的褶皱，在为其上底色时要顺着褶皱的走向来着色，切勿平涂，否则出来的效果就没有绸缎的质感了。

4 在完成第一遍的肤色和服装底色后就开始画阴影，通过给人体和服装铺设明暗效果，增加明暗对比度，使人物富有立体感。

5 进行深入刻画。用小号的笔为人体的头部和服装的局部细节着色，反复地调整以获得理想效果，此时也可以借助马克笔和彩色铅笔的特殊效果来表现局部细节的质感，完成人物整体着色。

6.3 薄纱面料

纱质面料有很多种类，用到服装上的有作为婚纱面料的欧根纱、轻薄飘逸的雪纺，以及服装中比较常用的泡泡纱、玻璃纱等。在表现这类面料的服装时，要注意面料透明感的表现。

■ 练习范例

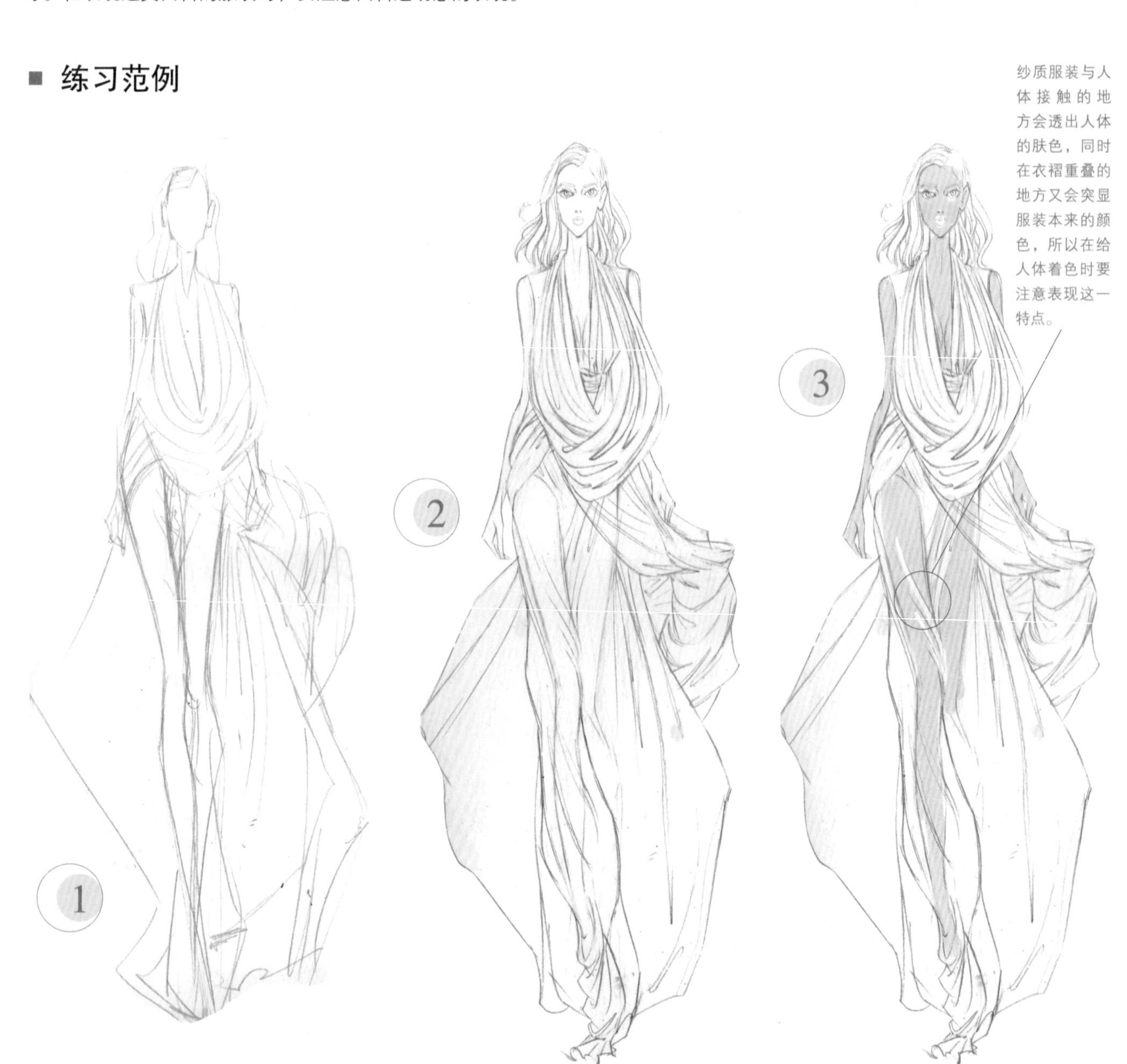

① 用较为轻松随意的线条画出人体动态和服装的基本款式，由于这里要表现出面料柔软且飘逸的效果，所以用轻松随意一点的线条更为适合。

② 画出人体和服装的具体细节。这里细碎的褶皱比较多，尤其要注意褶皱的穿插关系，要根据服装结构和人体动态来分布和表现，切勿过度增加或减少褶皱的数量。

③ 画出人体皮肤的底色，着色前要考虑到薄纱的透明度。

④ 等肤色干后，开始为服装上底色，着色前仍然要考虑到薄纱的透明度，衣褶重叠的地方会突显服装本来的颜色，所以衣服重叠多的地方要比其他地方的颜色要深一些。

⑤ 根据服装结构，为服装加深明暗对比，顺着褶皱发散的方向画出褶皱的暗部。

⑥ 绘制完人物整体的底色后，使用小号画笔并结合彩色铅笔和马克笔对人体的五官、头发以及服装的局部细节进行着色。随时退到远处观察画面的整体效果，并做出适当的调整。

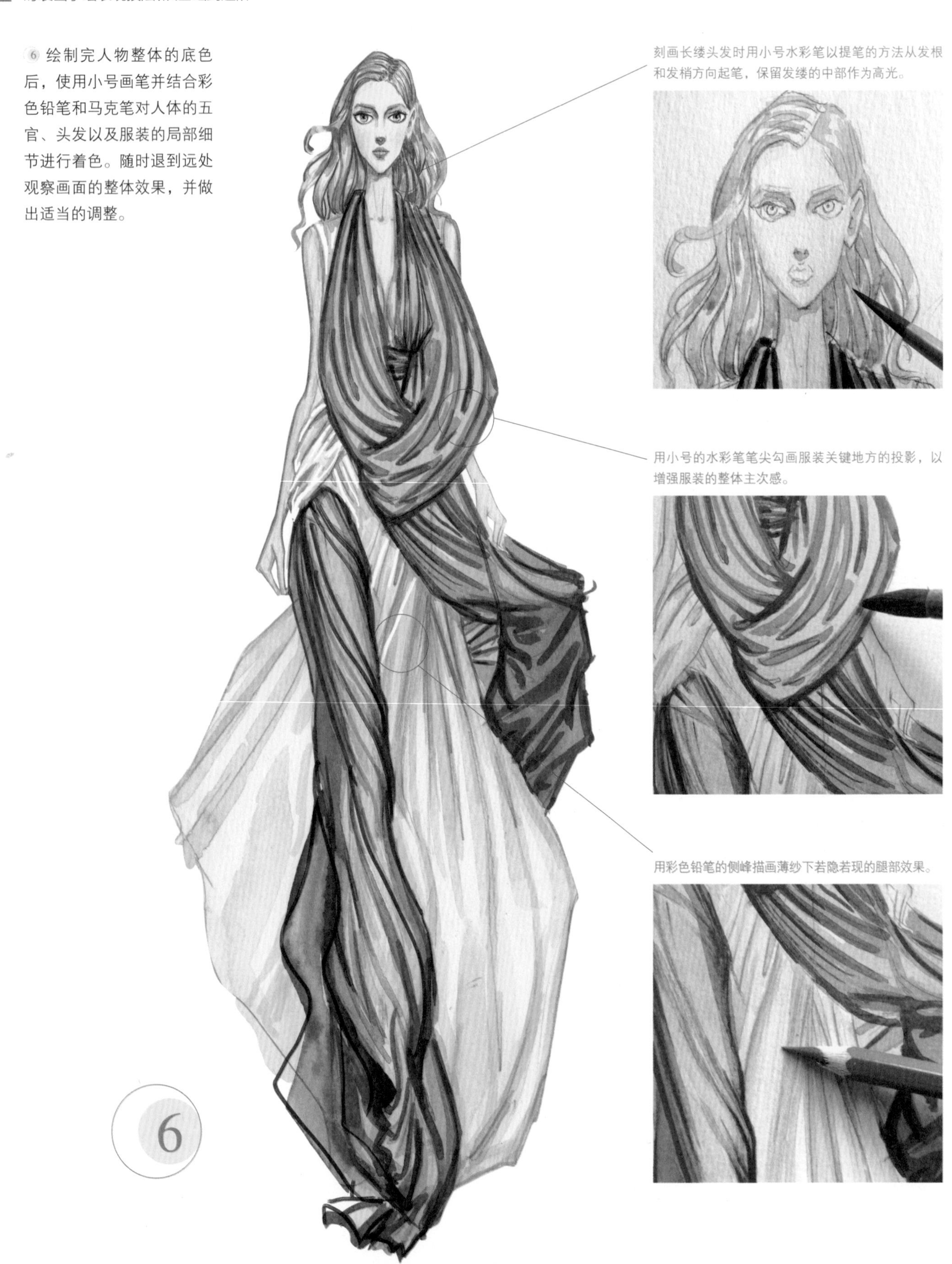

■ 练习示例

6.4 蕾丝面料

蕾丝经常与纱质面料一起运用在婚纱和晚礼服这类服装上面，本案例是在表现蕾丝服装时结合了纱质面料。一般蕾丝的绘制是先画出半透明的纱，然后再画出绣制在纱网上的各种蕾丝的花型，所以蕾丝服饰需用心细致才能很好地表现出漂亮细腻的蕾丝。

■ 练习范例

① 画出人体动态和服装的基本款式。

为了更好地表现蕾丝的细节，最好选用较细的针管笔勾出蕾丝的花纹细节，使服装看起来更细致、精美，另外蕾丝也可以最后画上。

② 深入、细致地描绘人体和服装的具体细节。

为这些隐约可见的皮肤着色时，一定要注意服装和人体的空间感。本案例的服装不是紧身贴在人体上的，即使衣服穿在身体上也有空间，所以不要全部涂满色彩，要适当地给服装留白，尤其是袖管的地方，要表现出织物的透明感。

③ 由于本案例的特殊性，服装属于透明织物，能够透过服装看见织物下的皮肤，所以为皮肤着色时，也要为这些隐约可见的皮肤着色。

4

④ 给皮肤的暗部着色，增加立体感，尤其是要表现出人体关节和五官的结构。

⑤ 服装透明的部分用较浅的灰色顺着衣褶方向来上色，并完成蕾丝以及服装细节的着色，最后进行整理。

6.5 牛仔面料

比较常见的牛仔工艺有水洗、磨砂、猫须、手擦、马骝等。在表现这些肌理丰富的面料时，水彩颜料无疑是比较适合的表现材料。在本小节中会用到水彩画技法中的洗涤法。在正式作画之前可以先在画纸上多实验几次，待自己有把握时再正式着色。

为人物画腮红时，上完第一遍肤色后在九成干的时候，用另一支干净的画笔蘸取一点玫瑰色，调和较多水分，在面腮处轻点一下，让颜色自然晕染开成为腮红。

■ 练习范例

① 确定好人体的基本比例和动态，画出人体动态和服装的大体轮廓。

② 人体和服装的基本轮廓完成后，就可以从头开始细致地刻画，包括发型、五官、牛仔服装以及服装上明显的车缝线、装饰线，完稿后的线条尽量清晰，便于后面着色。

③ 为人物着色，用大号的笔给人体着第一遍肤色，第一遍颜色要略淡一些。

水洗牛仔效果。

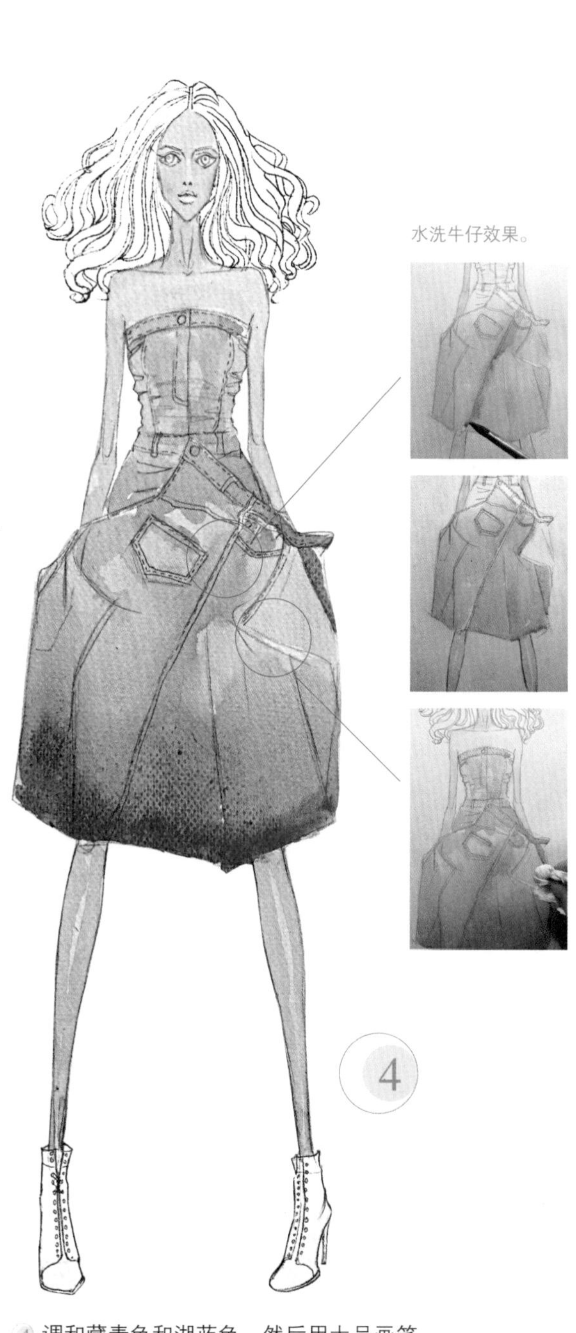

④ 调和藏青色和湖蓝色，然后用大号画笔给服装上底色，在颜色九成干的时候用一支干净画笔把需要提亮的地方进行水洗，同时用餐巾纸将多余的水分吸干。

服装细节能使服装更精致，画面更加丰富。在服装的装饰口袋边沿地方做一些明暗处理，另外一些明显的车缝线也要细致地表现出来，以增加服装局部的细节感。

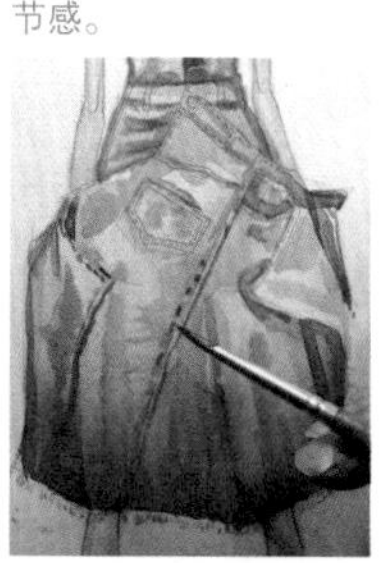

用与牛仔服装相同颜色的油画棒轻轻擦拭服装，随着画纸自身的起伏表现出一些面料的肌理质感。

⑤ 深入细致地刻画人体五官、发型和服装的细节，本案例的服装工艺结构比较复杂，充分体现水洗牛仔的感觉就好，最后整体进行检查调整，完成整个人物的绘制。

6.6 皮革面料

皮革的种类比较多样，比较常见的有牛皮、羊皮、马革皮、猪皮等，工艺上也有涂饰、抛光、压花、复古等多种方式的处理，随着技术的发展又出现了很多非常新颖的人造革。在表现皮革的时候要注意强调它的对比感，巧妙地表现皮革的高光部分。

■ 练习范例

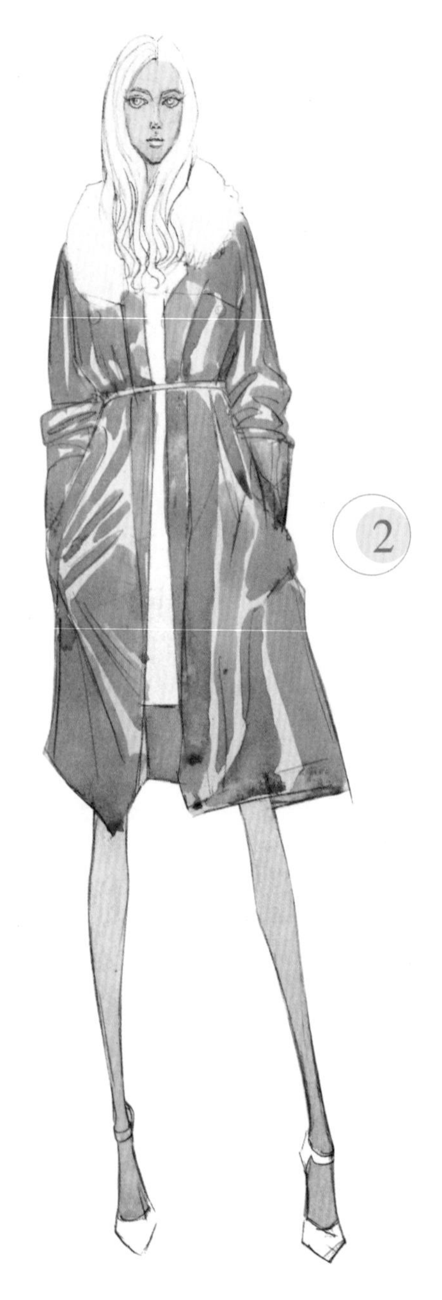

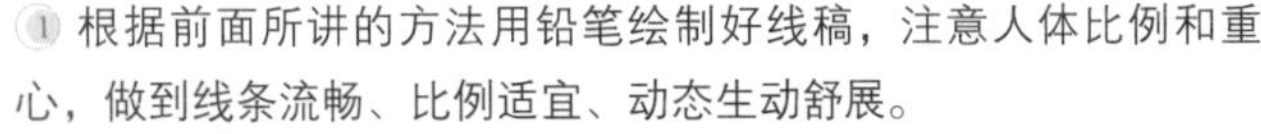
① 根据前面所讲的方法用铅笔绘制好线稿，注意人体比例和重心，做到线条流畅、比例适宜、动态生动舒展。

② 用大号画笔将人体和服装的底色用大色块表现出来。由于皮革面料反光较强，在画服装效果图的时候要注意留白作为高光部分。

③ 在第一遍色干了之后再画人体的阴影部分，用适当的颜色表现眼窝、鼻底和下巴脖子处，增强面部体积感。服装上用大色块区分明暗对比关系。

④ 皮革最明显的特征就是强烈的明暗对比，如果前面两遍上色能把握好就能增强明暗对比度，然后用小号的画笔并结合彩铅细致地刻画细节，强调皮革的质感。

6.7 豹纹面料

豹纹属于印花图案中的一种，它被非常广泛地运用到服装设计当中。在这里我们选择在雪纺面料上加饰豹纹进行练习。雪纺面料较为轻薄，要注意表现它的透明感，整体的表现要注意服装的统一性，避免过于破碎。

■ 练习范例

① 用长线条勾画出人体动态和服装的大体轮廓。考虑到要表现透明感，人体被衣服遮住的部位也要画出来。

② 用较细的铅笔画出人体和服装的具体形状，在画的时候铅笔不必太过用力，以免在擦改的时候损坏纸张，影响作画效果。

③ 画出皮肤的底色，并在脸部颜色快要干的时候晕染腮红，使颜色融合到一起。在服装与身体接触的地方实现面料留白。

④ 在表现颜色浅又明亮的面料时，需要在调色中加入白粉，这样颜色才会达到你所要的明亮效果。

⑤ 着第二遍颜色，将人体的脸部和服装的明暗效果表现出来。

⑥ 在整体画完豹纹图案以后，按照服装整体的明暗为豹纹图案也加一点明暗效果。用一支中号画笔的侧峰轻轻画一下就可以，不必画得面面俱到。

⑦ 局部强调。用较细的画笔或彩色铅笔刻画五官，然后用马克笔稍加强调服装的明暗效果。退到远处观察整体效果后，调整收尾。

■ 练习示例

6.8 花格面料

图案花型在设计中的运用使服装效果更加绚丽多彩，服饰图案经常会使用一些规则的几何形图案、花卉图案以及一些不规则的图案。对一些形状繁杂的图案进行绘画表现时，先观察这些图案花型的变化规律，将复杂的东西简单化处理。

■ 练习范例

① 确定好人体的基本比例后，画出人体动态，然后根据人体动态画出服装的基本款式。本案例中要特别注意花格线条的交错穿插关系，尽量采用虚线起稿以方便修改。

② 给人体平铺第一遍肤色，注意服装的颜色只画出暗部，等第一遍颜色干后再在服装暗部上第二遍颜色。

可以用彩铅刻画细节，用相同色的马克笔强调服装的一些暗部。

③ 首先画出皮肤暗部的阴影，本案例的花格子是偏灰白色，所以服装的条格颜色要做留白处理，只画格子周围部分的颜色。

④ 在深入细致地刻画完人物和服装细节后，进行调整处理。调整后用勾线笔描边，使整体紧凑感加强。

6.9 金属感面料

带有金属光泽感的面料和皮革面料的表现有着相同之处，它们同样都会反光，明暗面对比较大，它们的不同之处是反光的强弱。金属感面料就像是镜子一样能够反射周围的环境光，画过水彩静物的读者应该知道怎样画不锈钢，金属感面料的画法与不锈钢的画法差不多。

■ 练习范例

① 确定好人体的基本比例后，画出人体动态和服装款式的线稿。

② 画出皮肤以及服装的基本色，金属感服装的高光部分可以直接采用留白的方法处理。

③ 在第一遍色调的基础上，通过色彩叠加表现出面料的金属层次感，可以使用彩铅、马克笔配合以达到最佳效果。

④ 服装细节处理好后，别忘了给发型着色。细节刻画完成后进行画面调整，通过加强明暗对比的处理，拉开整幅画的层次感，最后用勾线笔简单描一下整体轮廓。

利用水彩给服装上色时，做到从浅到深。在刻画细节的时候可以利用小排线的形式塑造形体，就像画圆柱一样从浅到深渐变过渡。

6.10 皮草面料

服装中常用的皮草有貉子毛、貂皮、猞猁皮等，这类材质的特点是柔软、蓬松，在表现处理它们时要从整体入手，不要只抠细节，要做到整体有序、有规律地去表现。

■ 练习范例

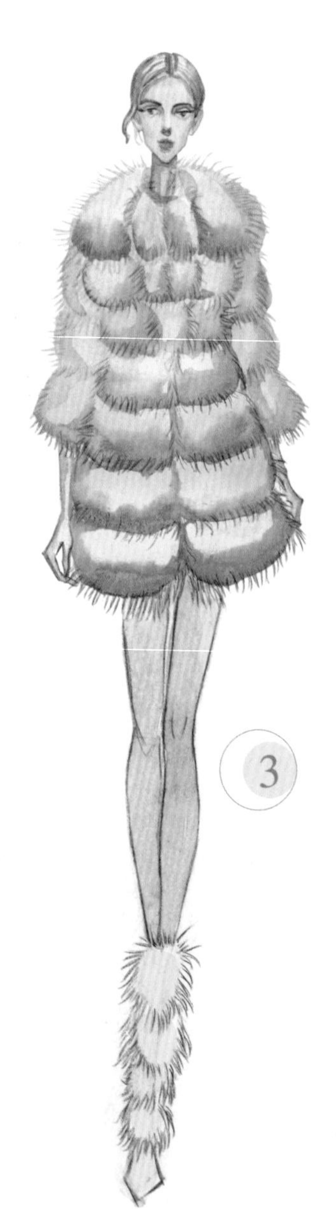

① 首先用铅笔勾画出人体动态和服装的轮廓与基本款式，然后使用较细的铅笔采用细而短的线条描绘出皮草发散的方向，完成线稿。

② 用大笔刷平铺人体和服装的底色，在色彩九成干的时候用干净的画笔在面颊处轻扫一点粉红色，让它自然晕开成为腮红。

③ 为人体和服装的暗部着色。本案例皮草受光线的影响，上部分的皮草偏亮，下部分的要偏暗一点，着色时注意表现出明暗对比，增加层次感。

这里为皮草细节着色时，使用的是水彩的干画法，另外也可以使用彩铅和马克笔表现细节。

④ 将调好色的画笔用抹布将水分挤出九成，让画笔接近全干的程度，然后将画笔戳成毛刺状顺着皮草发散的方向快速刷画，在画的时候注意不要画得过于凌乱，要有层次感和秩序感。

让画笔接近全干的程度，然后将画笔戳成毛刺状。

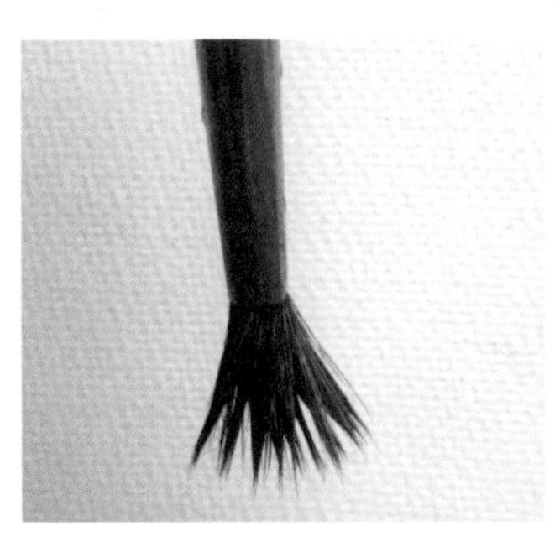

用枯画笔顺着皮草发散的方向扫画。

用尖头彩色铅笔顺着皮草发散的方向画出深色的毛针。

⑤ 细节着色完成后，整体调整。

6.11 羽绒面料

羽绒服中绗线方式的变化以及充绒量的多少决定羽绒服的形状，在羽绒服中常见的绗线有对角式绗线、曲线式绗线和管状绗线。

■ 练习范例

① 确定好人体的基本比例后，用长线条画出人体动态，然后根据人体动态画出服装的基本款式。

② 基本人体动态和服装的大体轮廓绘制好后，画出羽绒服的具体款式以及人体五官和配饰细节。羽绒服绗线用虚线来表现，由于羽绒服是有厚度的，服装的边缘轮廓线要画得略微圆顺一些，表现出服装的厚度感。

③ 深入刻画发型、脸部、服装、饰品，用较细的铅笔勾勒出具体的细节。

④ 给人体以及服装着第一遍基本色。本案例选择的羽绒服稍微有一点反光的质感，高光处采用留白的方法来表现。

⑤ 进一步给服装和人体细节着色，如为人体五官、脖子、手、腿部添加阴影，增加立体感；通过色调的层次叠加来表现羽绒服的体积感，在服装暗部做深层次的处理。

⑥ 最后整体调整，完成着色。

6

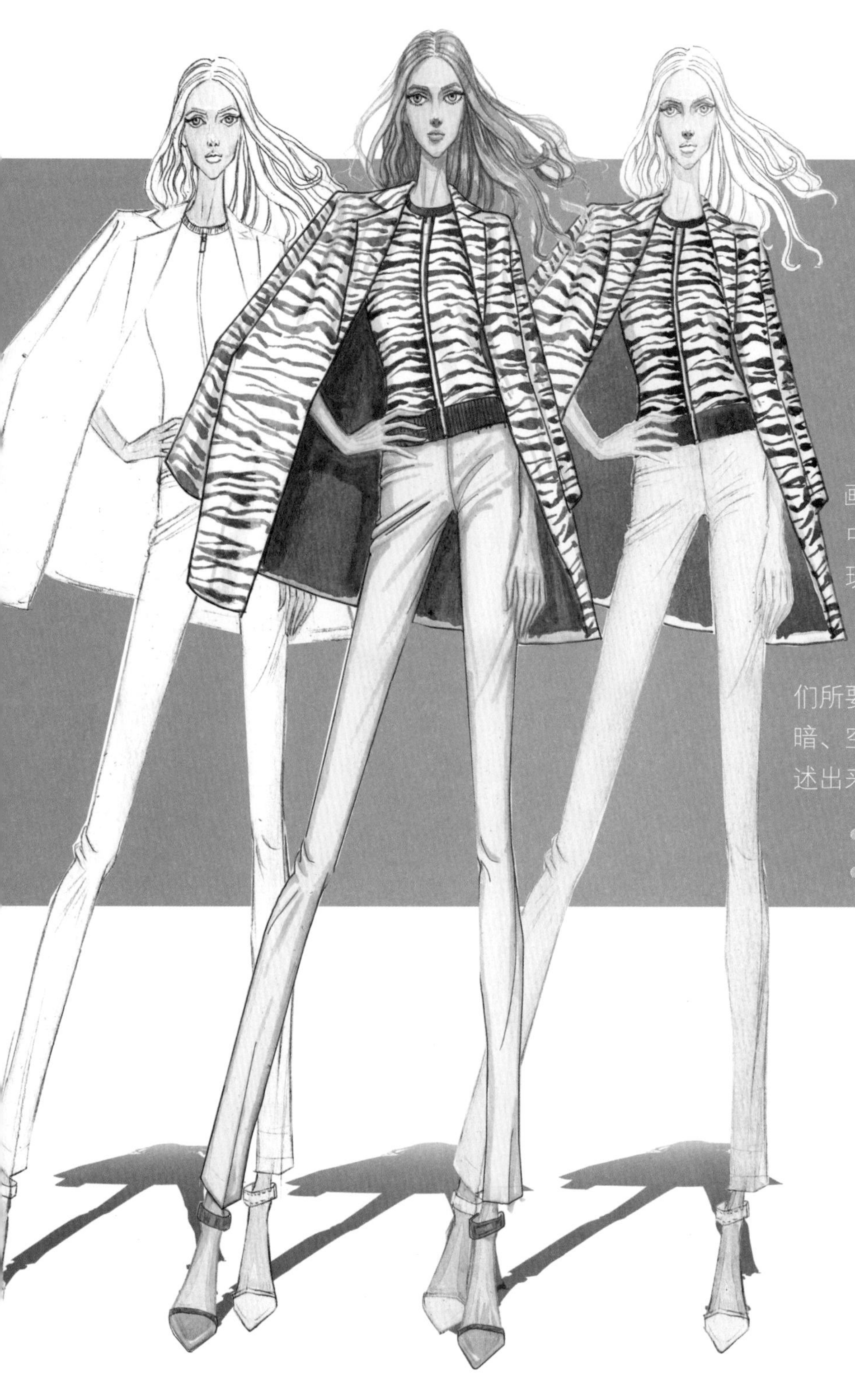

第7章

服装绘画综合表现

“画无定法”，每一个人的绘画方法都是千差万别的，但不同之中又有着一定的通性。“形的表现”与“质的表现”共同构成一张张精彩的效果图，它们能够帮助我们找到这其中的通性。现在我们所要做的就是将表现它们用线条、明暗、空间、色彩等元素在画纸上一一表述出来。

- 不同设计风格的表现
- 系列化服装表现

7.1 不同设计风格的表现

时尚易逝，风格永存。风格不仅是一个品牌的内核，更是一个服装设计师的灵魂。我们学习服装设计的过程也是一个寻找并建立起自己独特设计风格的过程。在这一节中将安排不同风格的案例供大家学习，大家可以一边画服装画一边了解不同的设计风格表现，在服装绘画的实例操作中找寻属于自己的设计风格。

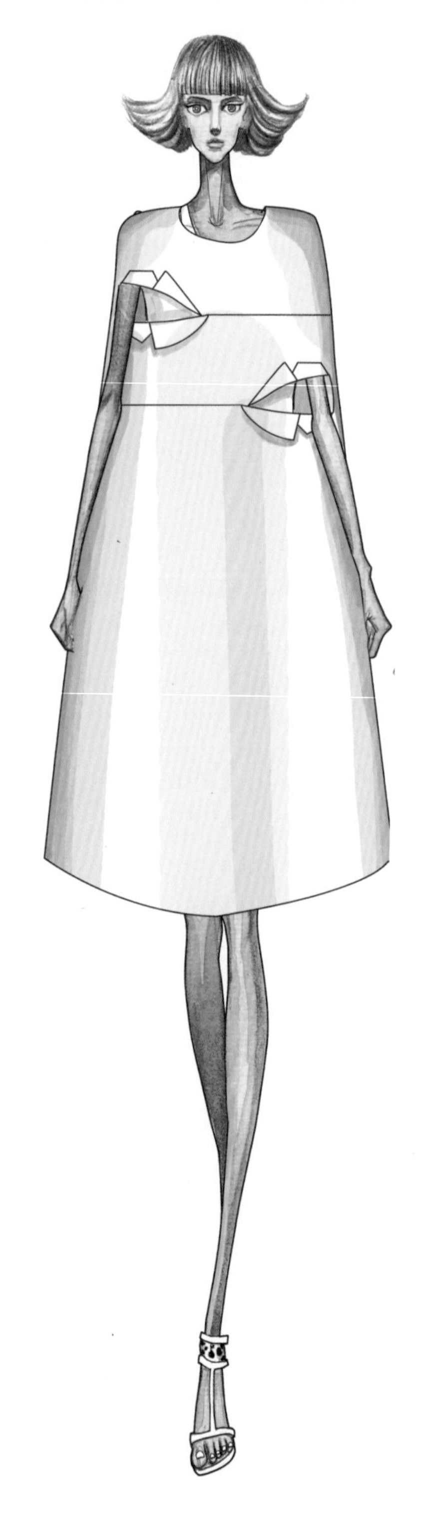

7.1.1 民族风

民族风是一种贴近自然、新奇、独特，体现异域风情的服装风格。它主要以民族传统元素为主，多采用绣花、扎染、蜡染等手工工艺，面料常选用棉、麻等天然织物，色彩搭配也更加绚丽。我们在表现这一风格的服装时要将表现重点放在服装的图案与配饰上，通过对细节的刻画来表现不一样的民族风情。

■ 练习范例

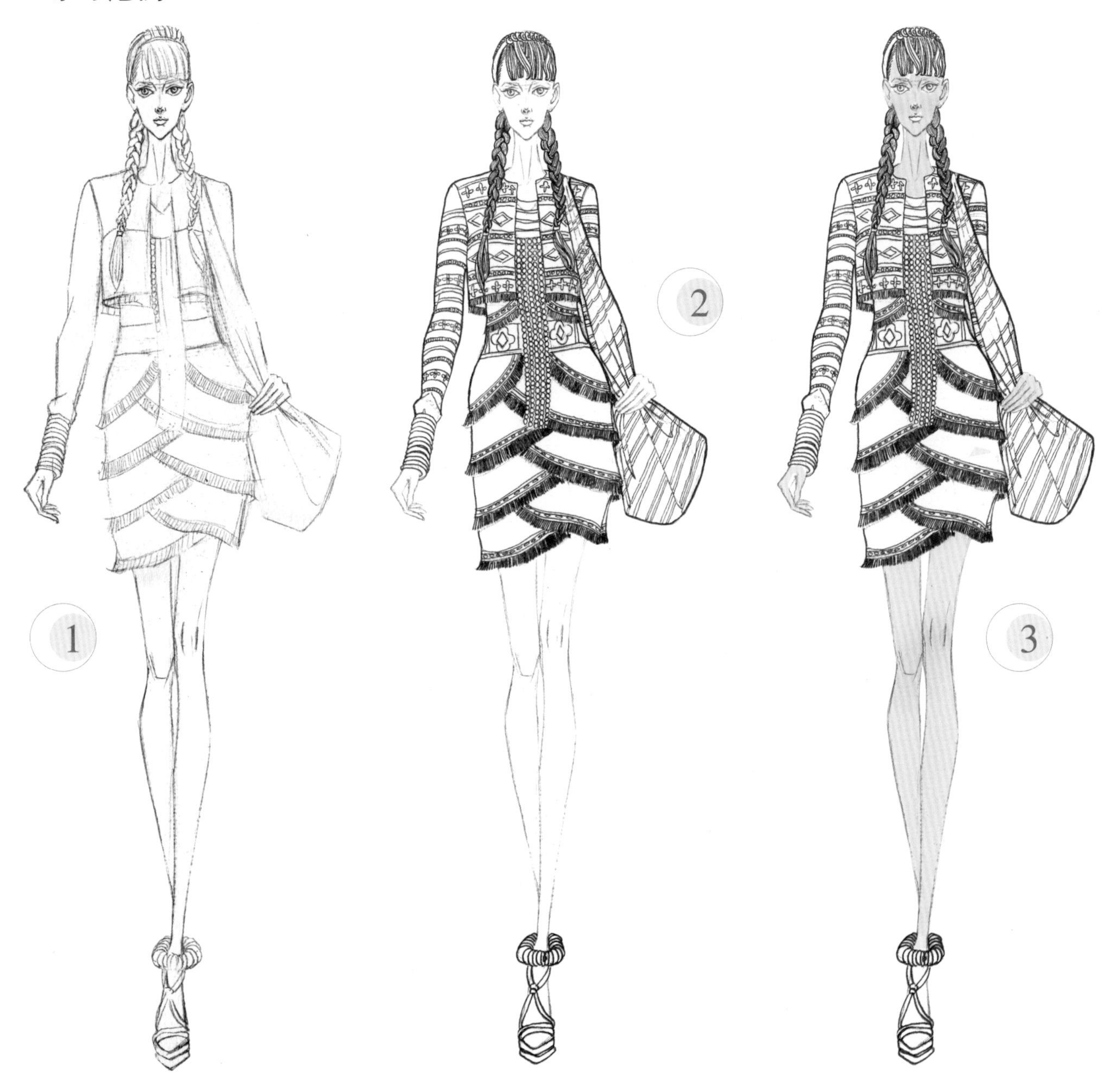

① 根据前面所讲的方法用铅笔绘制好线稿，画出人体的具体形态和服装的具体款式，注意人体的比例和重心，做到线条流畅、结构清晰。

② 使用较粗的勾线笔画出服装的外轮廓，然后用细的勾线笔画出流苏、绣花等服装的具体细节。

③ 调和赭石和熟褐色，并用大号笔刷画出肤色。在脸部颜色晾干之前，用玫瑰红画出腮红，并使它们自然融合。

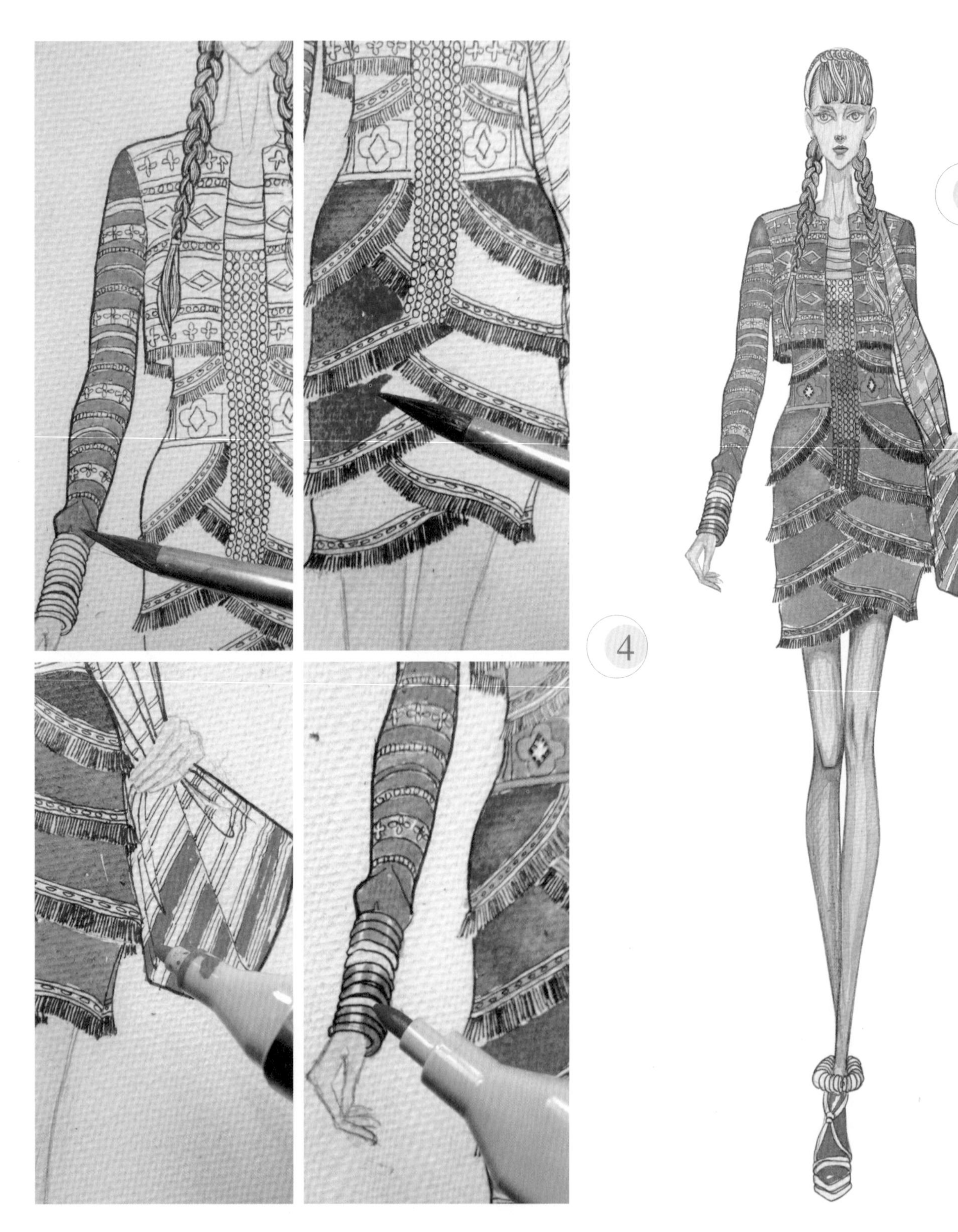

④ 给服装铺设第一遍色。大面积的地方可以用水彩画出，细节部分可以结合着马克笔来画。

⑤ 给人体和服装铺设明暗关系，增强画面的立体感。

⑥ 用彩色铅笔更加细致地刻画五官、头发等人体细节，然后用马克笔强化服装的明暗和质感，接着通过整体调整得到最后的效果。

6

7.1.2 波西米亚风

这是一种自由、无拘无束、浪漫并带有一定民族感的服装风格，其款式宽松自由，通常腰间束带、裙长拖地；它的色彩丰富多变，图案多以小碎花为主；经常采用抽褶、蜡染等工艺；在装饰上运用彩色串珠、颈挂花环、流苏等配饰。在表现这类风格的服装时要突出表现其自由随意感，碎花图案以及长裙要画得更放松一些。

■ 练习范例

① 用轻松舒展的线条画出人体动态和服装大体轮廓。这是一个后仰的C形动态，人体的体块转动比较大，所以在起形的时候要注意人体的重心平衡。

② 画出人体和服装款式的具体形状。头发可以根据发型的走向画成一缕一缕的形状。长裙要从上到下逐层画出，同时注意各层之间的穿插与组合。此外在画五官时可以通过旋转画板调整到方便自己绘画的角度。

③ 用大号画笔给人体画第一遍肤色。

④ 画出服装的基本色。

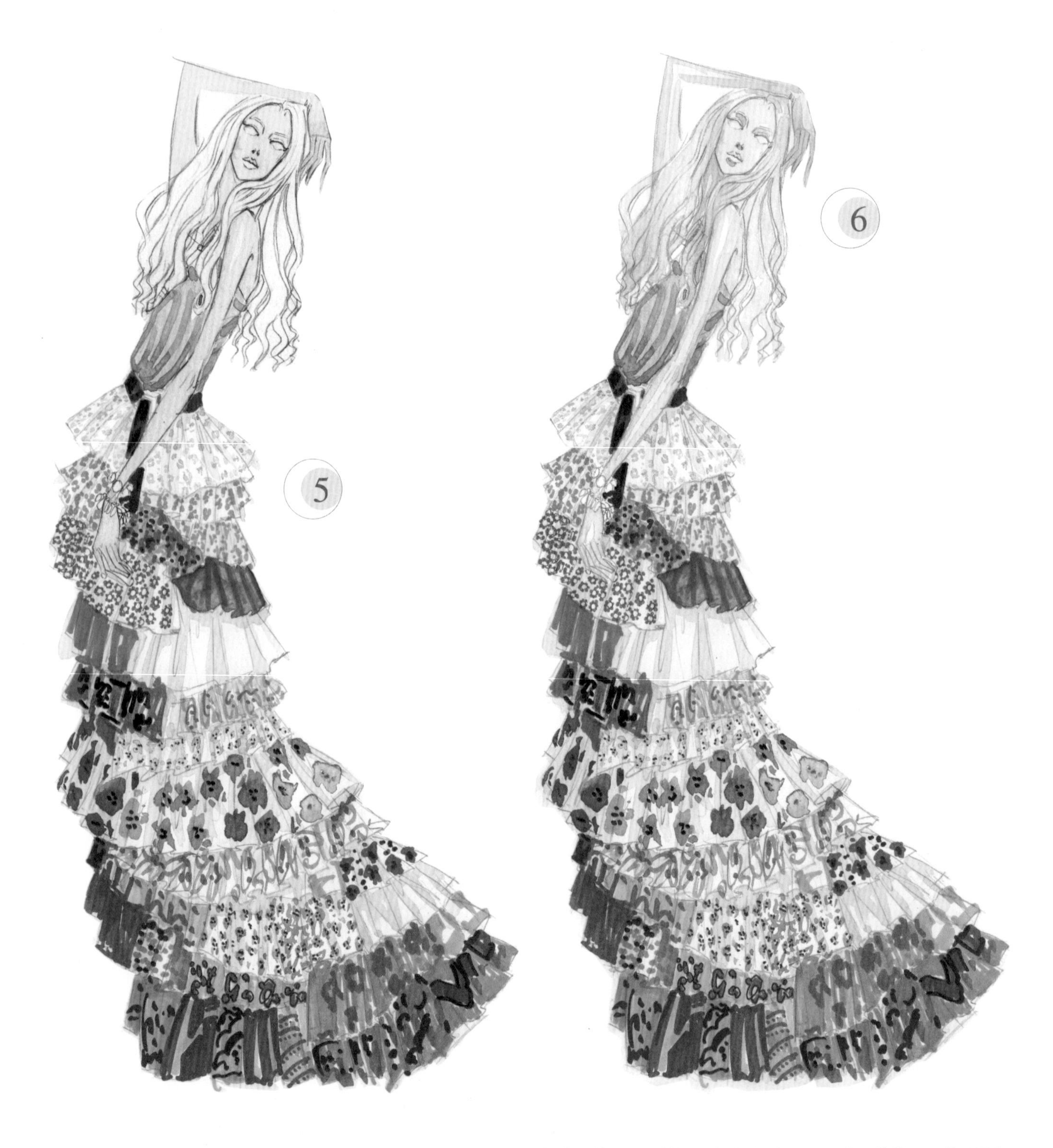

⑤ 用小号的水彩笔并结合马克笔画出长裙上的碎花图案。

⑥ 给人体和服装铺设明暗关系，加深画面的立体效果，然后调和熟褐色铺设头发的颜色。

⑦ 用小号的画笔给五官着色，同时画出头发的明暗关系。

⑧ 利用彩色铅笔对人体和服装进行深入刻画，然后用勾线笔画出轻快的线条以勾出服装的具体款式，接着通过整体的调整得到最终的效果。

7.1.3 波普风

这是一种通过对图案的色彩和样式进行变化而形成的带有轻松、幽默感的服装风格。波普风格的服装款式较为简约，但是有非常强的视觉冲击力，它强调使用高纯度与无彩色之间的相互搭配，经常印有影星、卡通画等丰富有趣的图案。

■ 练习范例

① 画出人体动态和服装轮廓。

② 从上到下画出人体的具体形态和服装款式，同时用细铅笔轻轻画出服装上的卡通图案。

③ 用大号水彩笔画出人体的基本肤色，注意颜色要尽量浅一些，趁颜色快要干时加上腮红并与肤色自然融合。

④ 铺设人体和服装的明暗。为了让画面更整洁，在画之前可以用橡皮泥减弱铅笔线稿。

⑤ 用针管笔勾画出衣服上的卡通图案，然后用马克笔给图案着色。在画波点图案时，可先用辅助线确定波点的排列位置。

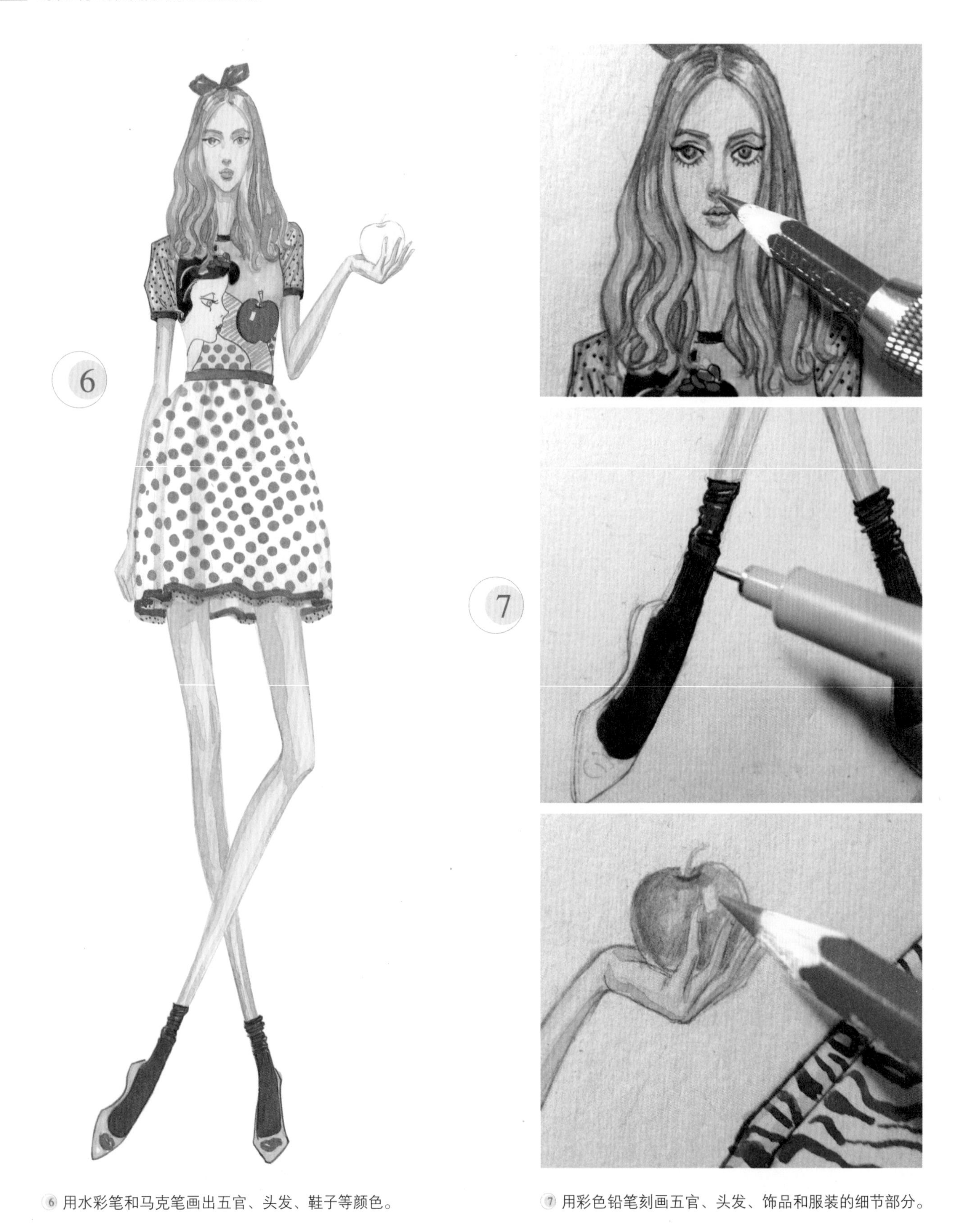

⑥ 用水彩笔和马克笔画出五官、头发、鞋子等颜色。

⑦ 用彩色铅笔刻画五官、头发、饰品和服装的细节部分。

⑧ 通过对画面的整体调整得到最后的效果。

8

7.1.4 学院风

这是一种清纯、一尘不染并带有很强的校园宁静感的服装风格。学院风格的服装款式多以简洁、大方、穿着合体的基本款为主，色彩多运用红、白、蓝等相对沉稳中性的颜色，这种风格中大多都会有方格、条纹和苏格兰风格的纹饰。

■ 练习范例

① 用自由轻快的线条画出人体动态和服装的大体轮廓。可以通过检查肩线和腰线的延长线是否交于一点来判断人体动态的合理性。

② 依照顺序从上到下画出人体和服装的具体形态。

③ 用大号水彩笔给人体上一层淡淡的肤色，膝盖也加上色彩晕染，使之与脸部腮红呼应以丰富画面效果。

④ 给服装和配饰铺设较淡的一层底色。

⑤ 根据人体结构和衣褶的转折用粗的马克笔画出服装上的交错条纹，然后用细的的马克笔在条纹上画出斜线纹饰，接着用白色在每一条条纹上画出两行装饰线。

⑥ 利用彩铅对人体和服装进行深入刻画。

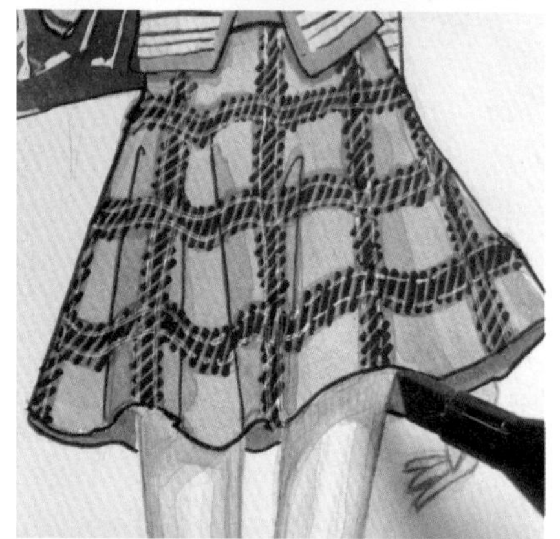

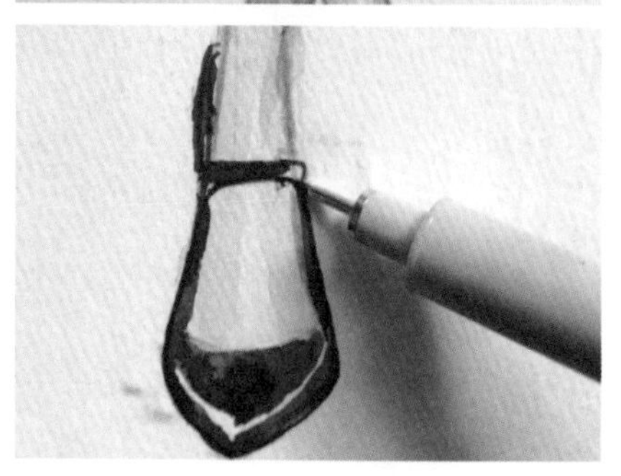

⑦ 运用马克笔、彩色铅笔等工具对人体和五官进行深入刻画。

⑧ 整体调整后得到最终的效果。

7.1.5 军装风

这是一种由军装样式演变而来的带有中性化、帅气感的服装风格。它的设计多采用军装中的元素，注重强调硬朗的直线式造型，色彩多采用军绿色和海军蓝。设计师经常通过对口袋、领子、扣子等元素的变化来设计这种风格的服装。

■ 练习范例

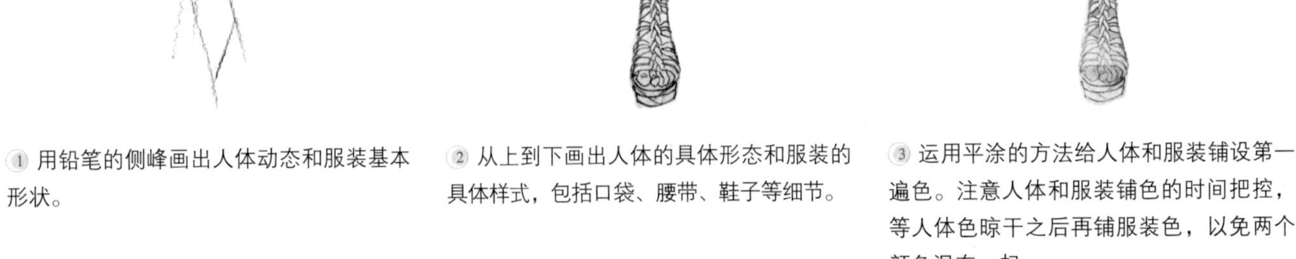

① 用铅笔的侧峰画出人体动态和服装基本形状。

② 从上到下画出人体的具体形态和服装的具体样式，包括口袋、腰带、鞋子等细节。

③ 运用平涂的方法给人体和服装铺设第一遍色。注意人体和服装铺色的时间把控，等人体色晾干之后再铺服装色，以免两个颜色混在一起。

④ 给人体和服装加上明暗关系，同时用清水打湿腿部的皮肤颜色，在半干的情况下画出袜子的颜色让其与肤色相互渲染融合。

⑤ 用小号的水彩笔铺设人体和服装细节处的颜色。

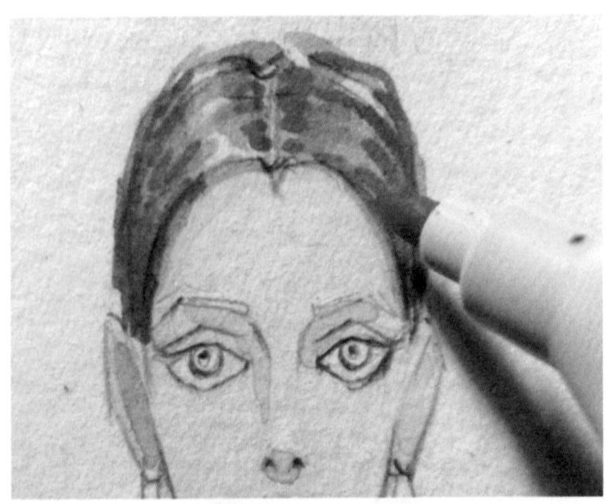

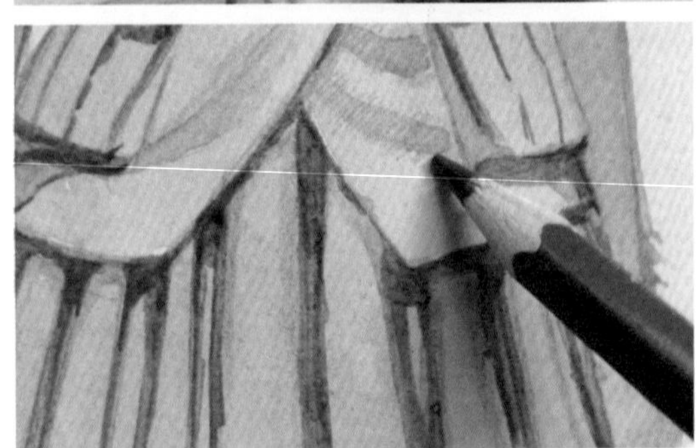

6

⑥ 结合彩色铅笔和马克笔对人体、五官、头发和服饰的细节处进行刻画。

7

⑦ 用勾线笔强调服装的款式，然后对画面进行整体调整得到最终的效果。

■ 练习示例

7.1.6 职场风

这是一种简洁、大方且适合于办公场合穿着的服装风格。其款式以套裙为主，造型简约、剪裁合体、色彩沉稳，注重强调女性的自信与干练。

■ 练习范例

① 确定头和脚的位置，用铅笔的侧峰以直线的形式画出人体的动态和服装大体轮廓。

② 确定动态后，用较软的细铅笔画出人体和服装的具体形态。

③ 用大号水彩笔铺设人体和服装的基本色。

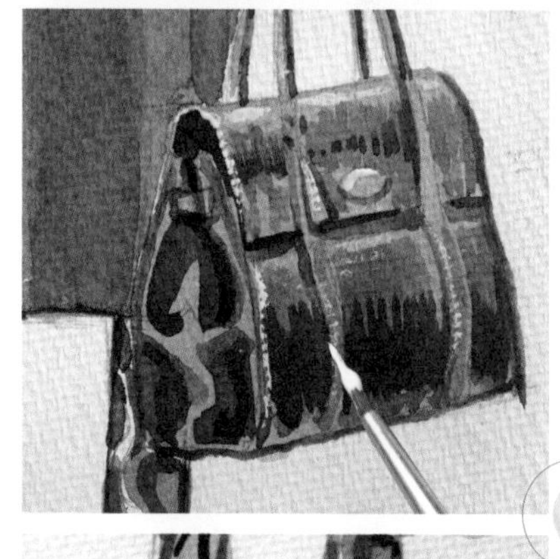

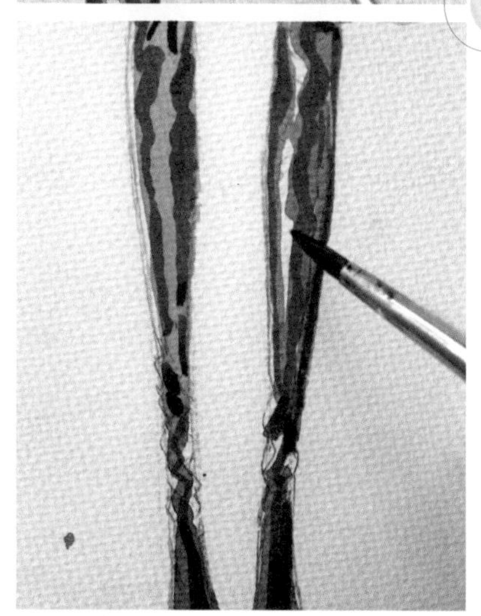

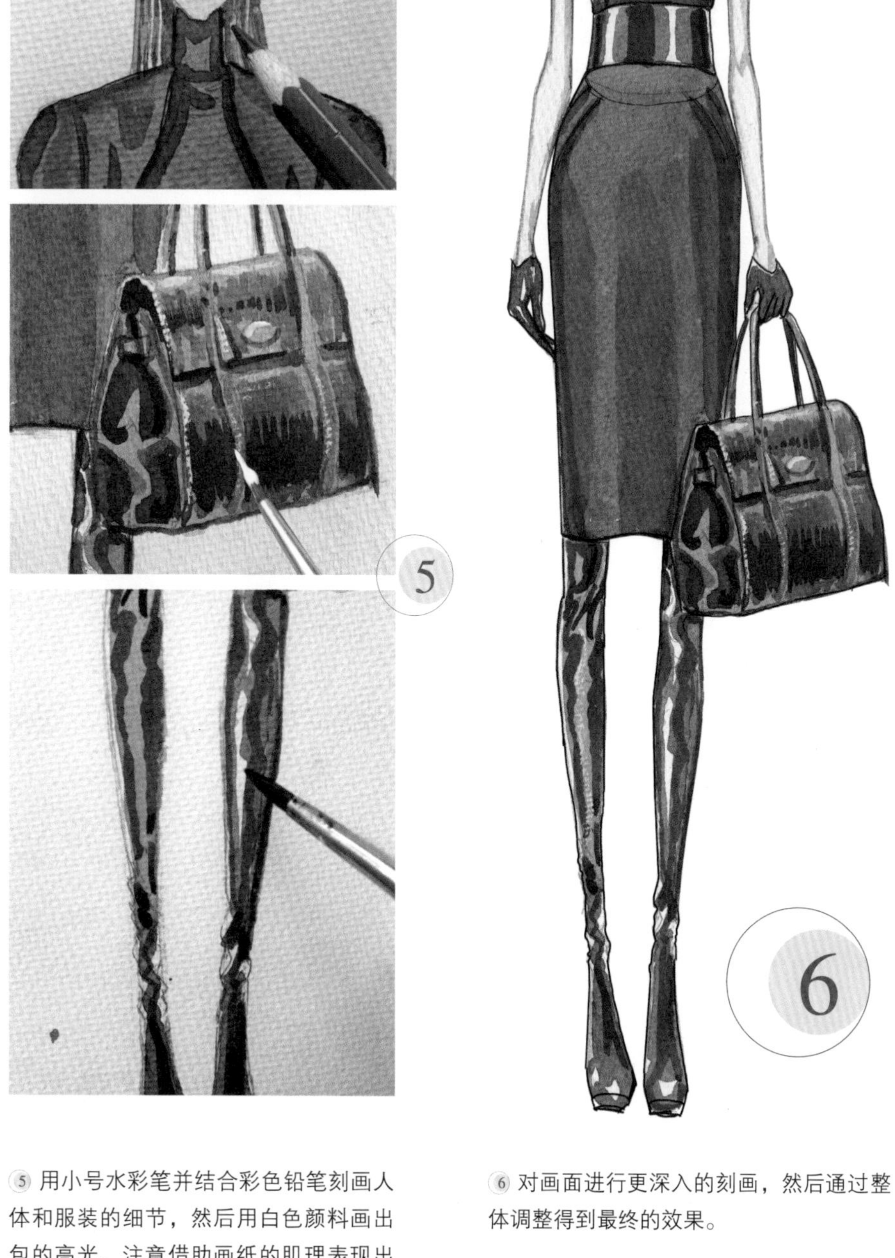

④ 给人体和服装铺设明暗关系，同时给腰带、鞋子等配饰也铺上颜色。考虑到腰带的质感，可以用留白的方式作为它的高光。

⑤ 用小号水彩笔并结合彩色铅笔刻画人体和服装的细节，然后用白色颜料画出包的高光，注意借助画纸的肌理表现出包的质感。

⑥ 对画面进行更深入的刻画，然后通过整体调整得到最终的效果。

7.1.7 哥特风格

哥特式的服装风格充斥着怪诞、凄凉、诡异、神秘的氛围，夸张的裙装造型和高高的垫肩是其主要的表现形式。色彩上主要运用黑色和暗红色，化妆造型怪异夸张。

■ 练习范例

① 用较为轻松自由的线条画出人体的动态和服装外形轮廓。

② 画出人体的具体形态和服装的具体款式。

③ 用大笔刷铺设人体肤色和服装基本色。在这里考虑到哥特式的妆面，脸部不需要着色。

④ 铺设人体和服装的明暗关系，然后用油画棒在模特的头发上画出彩色线条。

⑤ 强化服装的明暗关系，并用小号水彩笔画出模特的五官和头发的颜色。因为油画棒不溶于水，所以之前画的彩色线条依然能突显出来。

⑥ 用黑色马克笔画出服装上鸟的图案，然后用色粉笔给图案分出明暗使之能够依附在服装上。注意画的图案要根据服装面料的起伏而有所变化。

⑦ 运用彩色铅笔和马克笔对服装进行深入刻画，然后通过整体调整得到最终的效果。

7.1.8 古典风

古典风格强调女性外形的甜美与柔和，它通过细密的抽褶、缠绕式的挂搭、瀑布式的悬垂等手法展现女性的优雅与端庄。可以着重刻画围绕在人体肩部、胸部、腰间的大量细密的抽褶来表现服装的古典主义气息。

■ 练习范例

① 用长直线画出人体的动态和服装基本轮廓。

② 从上到下依次画出人体和服装的具体形态。考虑到古典风格的特点，在画服装线条时尽量做到流畅自如，一条线要从上到下一气呵成。

③ 用大号水彩笔给人体铺设肤色。

④ 同样用大号的水彩笔铺设服装的颜色。

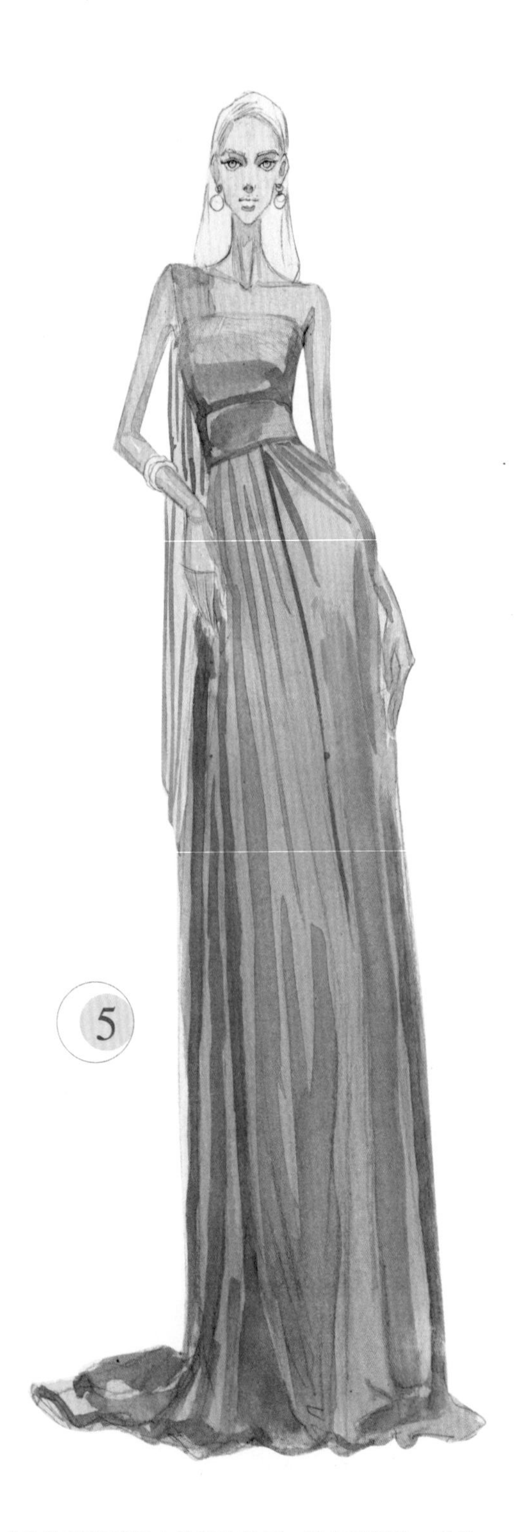

⑤ 给人体和服装铺设大的明暗关系，注意光源的一致性。

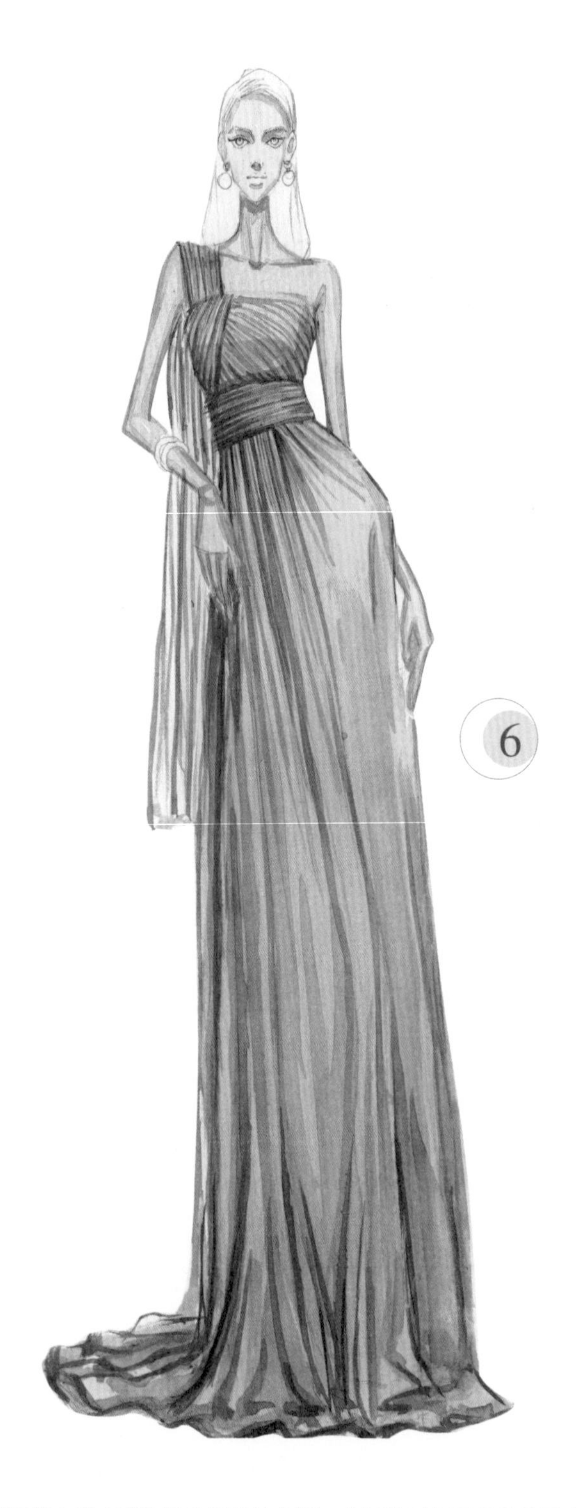

⑥ 用细的小号水彩笔画出服装的衣褶，在画的时候不是手腕用力而是靠手臂的摆动来运笔，这样衣褶才会又长又直。同时要注意衣褶要随着身体结构的变化而变化。

⑦ 用小号的画笔对五官和头发进行刻画。

⑧ 结合彩色铅笔和马克笔对服装进行整体调整。

7.1.9 巴洛克

巴洛克风格的服装突出表现对比夸张的特点和强烈的结构造型，款式上多运用反复堆积的褶皱和花边，并以拉夫领为主要样式进行设计变化，整体给人雍容华贵的视觉感。

■ 练习范例

① 先画出大的人体动态，然后根据动态画出服装的款式形状。

② 从上到下依次画出人体的具体形状和服装的具体结构样式。面对这么多衣褶，要注意它们的穿插变化与层次相互叠加的关系。

③ 用大的水彩笔给人体铺设肤色。

④ 等皮肤颜色晾干后，同样也用大的水彩笔为给服装铺设基本色。

⑤ 给人体和服装铺设大的明暗关系。

⑥ 借助马克笔和彩色铅笔对人体和服装进行深入刻画，并用针管笔重新画出服装具体的款式结构。然后通过整体调整得到最终的效果。

7.1.10 朋克风

朋克风格带有强烈的反叛色彩，它经常与军装和摇滚乐混搭在一起。它强调女性的性感，胸部和臀部是朋克服装表现的重点，所以这类风格的服装款式大多较为紧身。在装扮上朋克风的妆容类似于哥特风，表现为烟熏妆、猩红唇以及浓重面颊妆等。在这类风格的服装中黑色夹克是比较常见的单品，它经常与铆钉、别针、金属拉链、破洞、流苏、皮裤等元素混搭在一起。

■ 练习范例

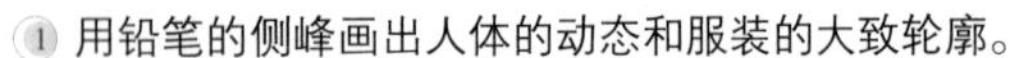

① 用铅笔的侧峰画出人体的动态和服装的大致轮廓。

② 用细铅笔画出人体和服装具体形态。

③ 用大号的水彩笔给人体铺设肤色。

④ 等肤色晾干后用大号的水彩笔从上到下依次给夹克、连体裙、鞋子等铺设颜色。

⑤ 给人体和服装铺设大的明暗关系，同时用水彩笔给头发铺设一层淡淡的底色。

⑥ 用小号水彩笔并结合马克笔对五官、头发以及服装上的铆钉等细节进行刻画，然后用针管笔再重新画出服装的具体款式。

⑦ 运用彩色铅笔对画面进行更深入的刻画，然后通过整体调整得到最终的效果。

7.2 系列化服装表现

不管是企业推出的成衣产品还是学校里的课程作业，系列化服装越来越受到大家的重视。它不仅能够明确地表达设计师的设计主旨，而且还能突出品牌形象和产品风格，所以有必要了解系列化服装是如何表现的。首先要注意它的整体性，不能太过于表现某一套服装而忽略了画面的整体效果；其次是每套服装之间的序列感和层次感，要做到有主有次地去表现，合理地安排好整体画面的布局；最后是把握好局部刻画的分寸，不用面面俱到去表现，要有取舍地去刻画局部细节。

■ 练习范例

① 构图。这就好比拍一组时尚大片，模特的排列和动态的组合都需要事先合理安排好，如果没有好的构图最后的效果会大打折扣，所以在作画前一定要安排画面的整体构图。在基本的构图中有两种，一种是横构图，另一种是竖构图。一般情况下2~3套服装选择竖构图，如果3套以上的服装会选择横构图。在这个案例中我们要表现6套服装，所以选择横构图。可以选择在画纸上直接构图，也可以先在草稿纸上进行构图，满意后再在画纸上正式构图。构图时要注意模特排列的秩序感和层次感，还有每一套服装的节奏变化。根据确定好的模特位置用铅笔画出人体动态和服装的样式。

草纸小构图

② 定稿。检查刚刚画的基本形态，用橡皮泥进行修改调整，满意后用较软的细铅笔从上到下画出包括五官、头发在内的具体形态和服装具体的结构样式。画图时要比第一步更严谨一些，结合前面学到的基础知识细致地画出人体形态和合理的服装穿着，这将为后面提供更多的便利。此外在画的时候一定要按照从上到下、从左到右的顺序来画图，从而避免手臂弄脏画稿。为了更好地保护好画稿，可以在手臂下放上一张白纸，随着作画的进展来移动白纸。

③ 给人体着第一遍肤色。在着色之前先用橡皮泥擦一下铅笔线描稿，使之不要过于清晰，这样做有利于后面的上色效果。然后用大号水彩笔调试出相应的颜料，利用平涂法给人体均匀着色，通常第一遍着色都要淡一些。

④ 铺设人体的明暗。通常在为最后一个人体着完色后第一个人体的颜色已经干了，这时就可以给它铺设明暗了。还是按照从上往下的顺序依次为人体的五官、手臂、腿等部位铺设明暗效果，在这里要注意光源的统一性。

⑤ 给服装铺设基本色。用大号的水彩笔调试出相应的颜料，先铺设每套服装中都有的颜色，再铺设其他颜色。运笔时注意不要碰到还没有干的地方，以免造成颜色的混合从而弄脏画面。

⑥ 根据衣褶的走向并结合人体结构的转折给服装铺设明暗关系。

⑦ 表现细节。运用小号的水彩铅笔并结合马克笔和铅笔表现服装里的图案、花纹以及其他细节。

⑧ 深入刻画。运用彩色铅笔的侧峰以排线的方式着重刻画五官、服装以及配饰的质感。

⑨ 整体调整。先用勾线笔画出服装的结构样式，然后结合马克笔、色粉笔等工具对画面进行整体调整，让暗部更暗、亮部更亮，通过反复调整得到最终的效果。

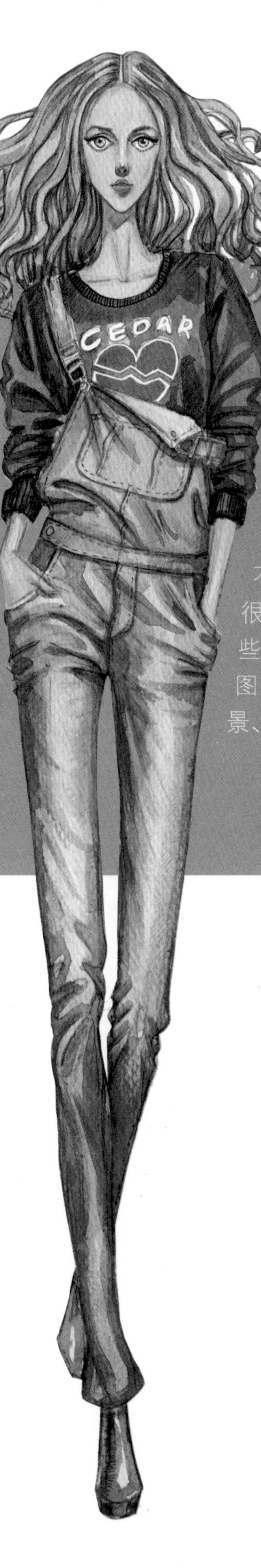

第8章 电脑效果辅助表现

在手绘稿完成之后，可以用相机拍摄或者用扫描仪扫描作品，这时得到的图像效果可能不尽如人意，画面背景会有些脏，并且画面也很模糊。那么就有必要借助图像处理软件来做一些后期的小处理。在这里将为大家讲解几个处理图片的小方法，如在服装设计中经常用到的去背景、操作变形、做投影、做印花等。

- 电脑处理图片小技巧
- 电脑绘图技巧

8.1 替换背景

一般扫描后的作品的整体画面比较模糊，并且画面空白处还有一些污点。很显然这不是我们想要的效果，现在先将它的背景去掉，下面以Photoshop为例进行讲解。

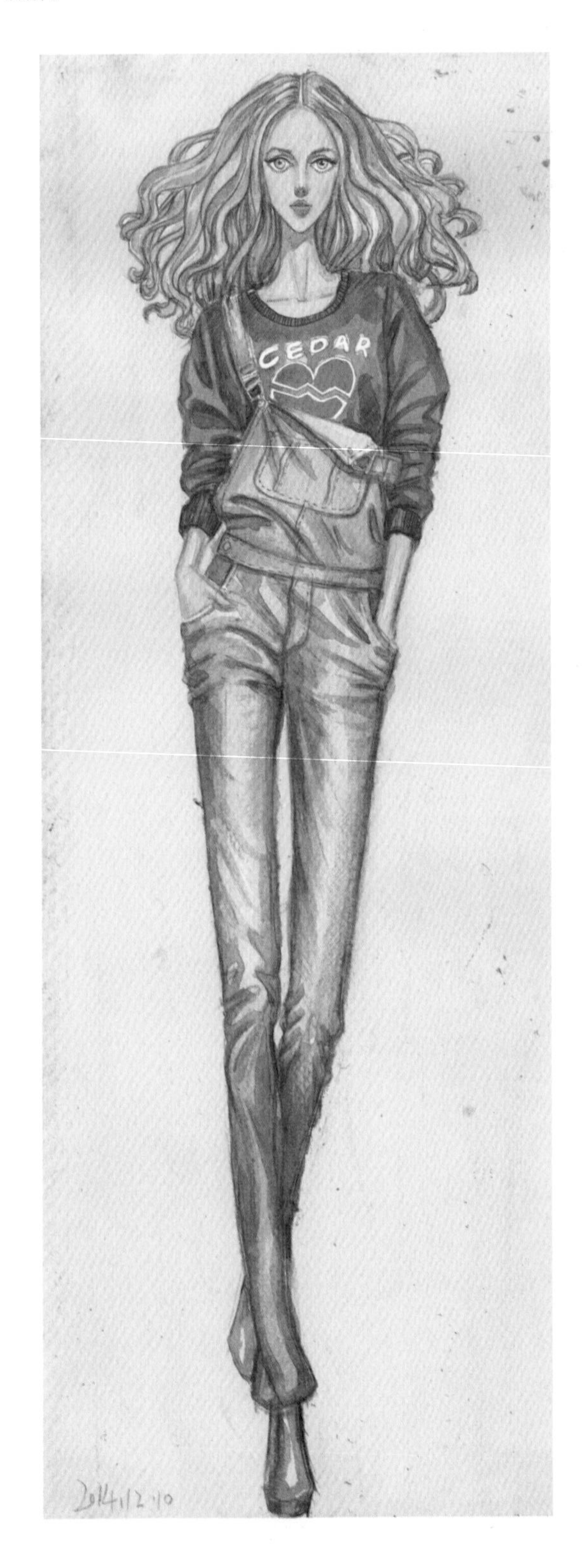

■ 练习范例

① 按住Ctrl+N快捷键新建一张A4尺寸的文件，然后将需要处理的图片拖入。

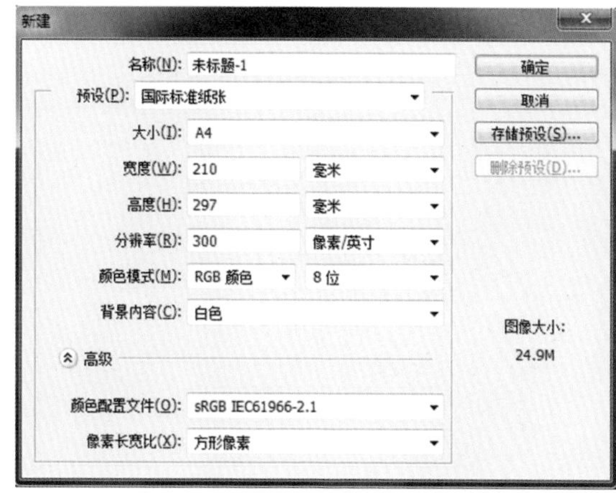

② 按住Ctrl+Shift+L快捷键自动调整色阶，这时电脑会自动将画面做出调整。如果达不到想要的效果，还可以按住Ctrl+L快捷键在“色阶”对话框中手动调整。此外还可以按住Ctrl+U快捷键调整图像的色相和饱和度，以使图像更加接近手绘稿。

③ 打开“色阶”对话框，拖动小滑块调整画面的对比度。把黑色滑块向右拖动是加深画面重色区域，将白色滑块向左拖动是提亮画面的浅色区域。通过调整将画面该重的地方重下去，该亮的地方亮起来。

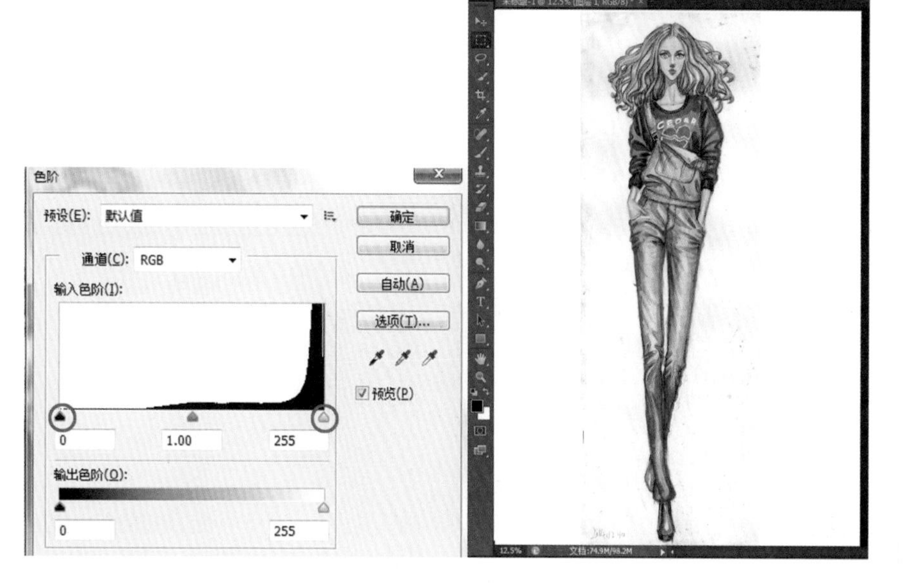

④ 用钢笔工具将轮廓线全部描出，然后在使用钢笔工具的同时按住Alt键不松手可以调整路径方向。根据自己的需要有取舍地勾选轮廓线。

⑤ 全部勾描完成后按Ctrl+Enter快捷键，生成选区。

⑥ 选区做完后，可以按Ctrl+J快捷键直接复制图层，得到一个无背景的的图层，也可以单击下方的“添加图层蒙版”按钮得到无背景的图层。后一种方式可以根据自己的需求修改画面轮廓而不对原画面造成破坏。

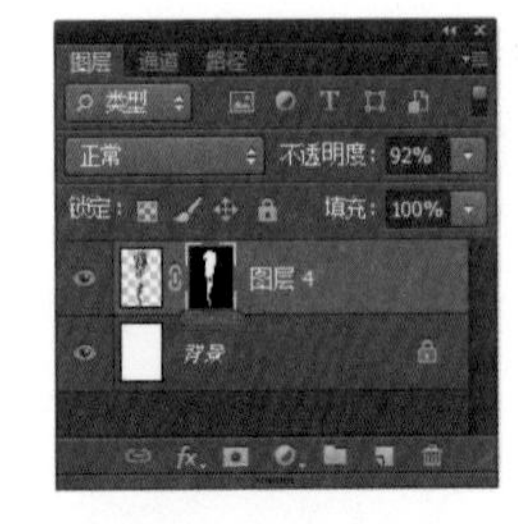

⑦ 去除完背景后可以将画面背景换成任何我们想要的背景。

8.2 加投影

为了让画面更加生动和真实，下面使用Photoshop为模特做一个投影。

■ 练习范例

① 继续之前的例子。按住Ctrl+Shift+N快捷键新建一个“图层2”，然后按住Ctrl键用鼠标单击“图层1”的蒙版，得到轮廓选区。

② 激活渐变工具，然后选择单色渐变在“图层2”中从下到上拖曳鼠标，这时得到了一个渐变的轮廓背影。

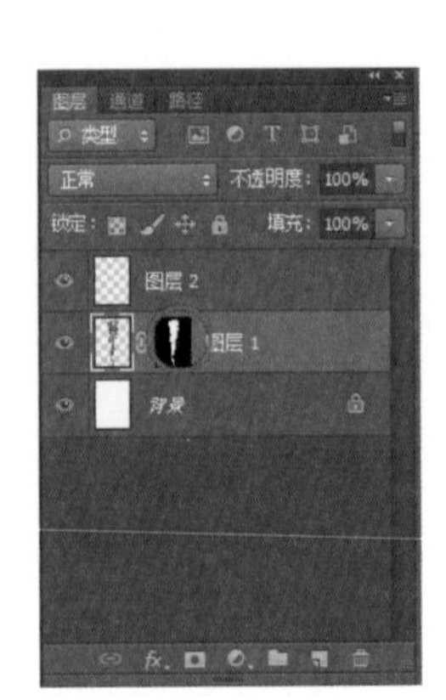

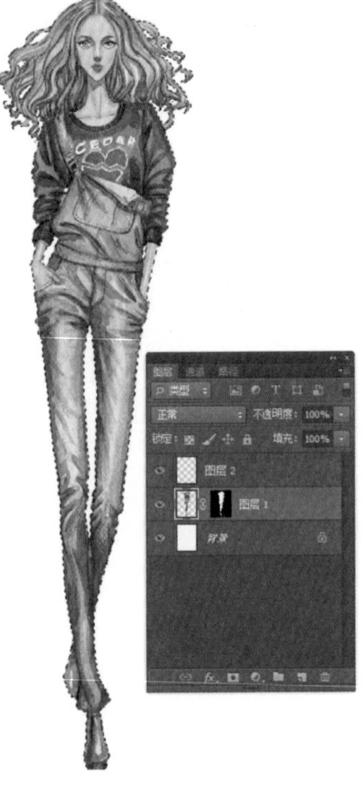

③ 先按Ctrl+D快捷键取消选区，然后按住Ctrl+T快捷键打开自由变换，接着单击鼠标右键在弹出的菜单中选择“扭曲”命令，然后拖动上方左右两边的执柄向下将投影调试到贴近地面的位置。在这里一定要先取消选区，否则会有污点出现。

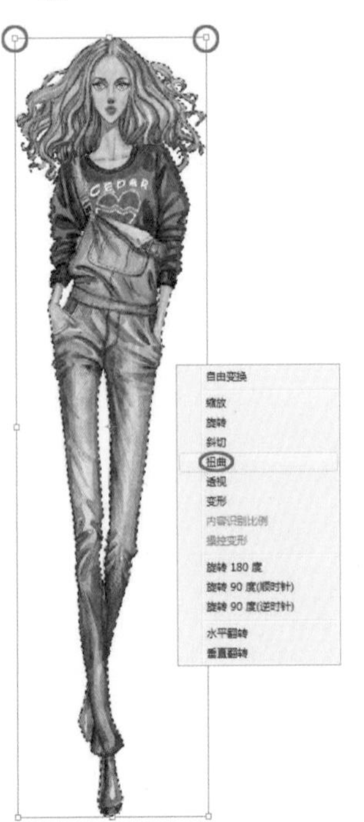

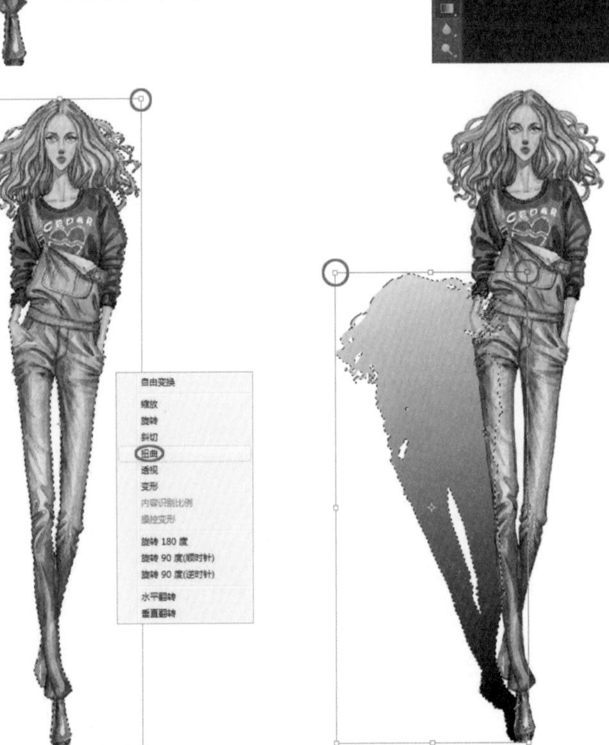

④ 因为投影的特点是前实后虚，为了让投影更加真实，需要将后面的投影做一些模糊处理。先用套索工具将投影的末端选中，然后单击鼠标右键在弹出的菜单中选择“羽化”命令，此时弹出“羽化选区”对话框，接着将“羽化半径”设为“60像素”。

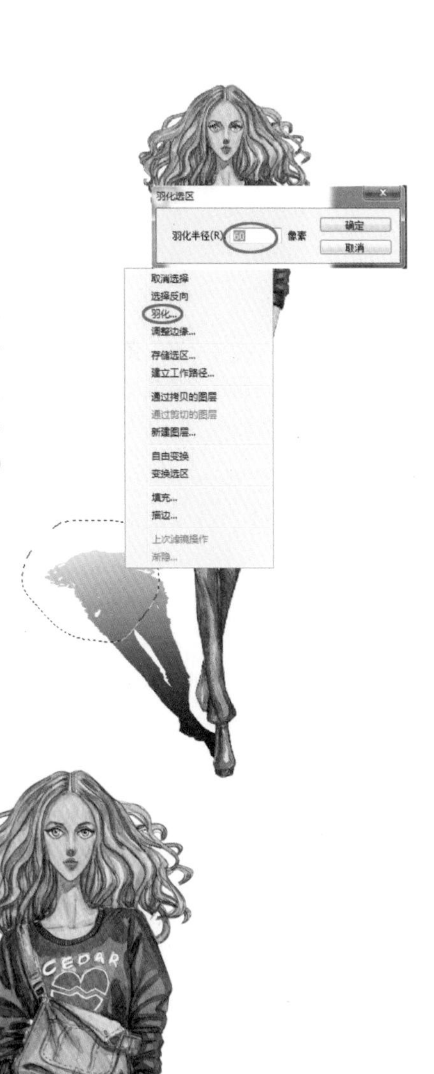

⑤ 执行“滤镜>模糊>动感模糊”菜单命令，打开“动感模糊”对话框，调试距离值。为了能够得到更好的效果，可以多重复几次这样的操作。

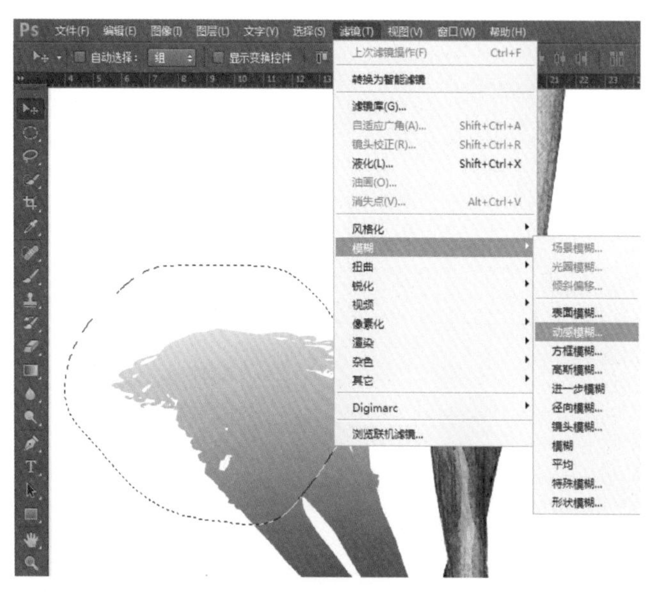

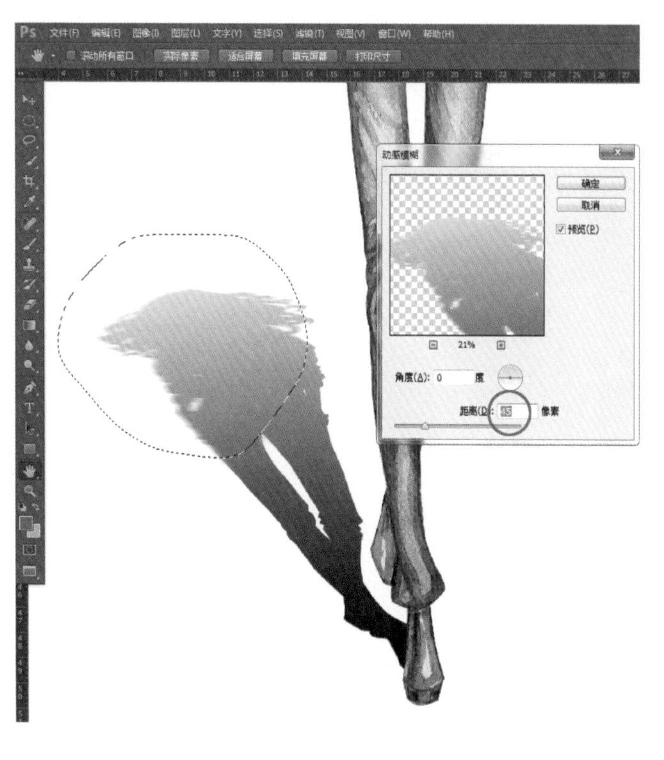

⑥ 动感模糊后得到以下效果。

8.3 操控变形

在完成手绘稿后会有这样的问题，要是头能再低一点或是腿再向外长一点就好了。其实人体的动态也是可以调整的，使用Photoshop中的“操控变形”就能实现。

■ 练习范例

① 先将服装画的背景去掉。

② 执行“编辑>操控变形”菜单命令，这时会看到整个服装画被网格覆盖住了，这些网格是做参考用的。为了方便调整动态，可以单击鼠标右键选择“隐藏网格”命令。

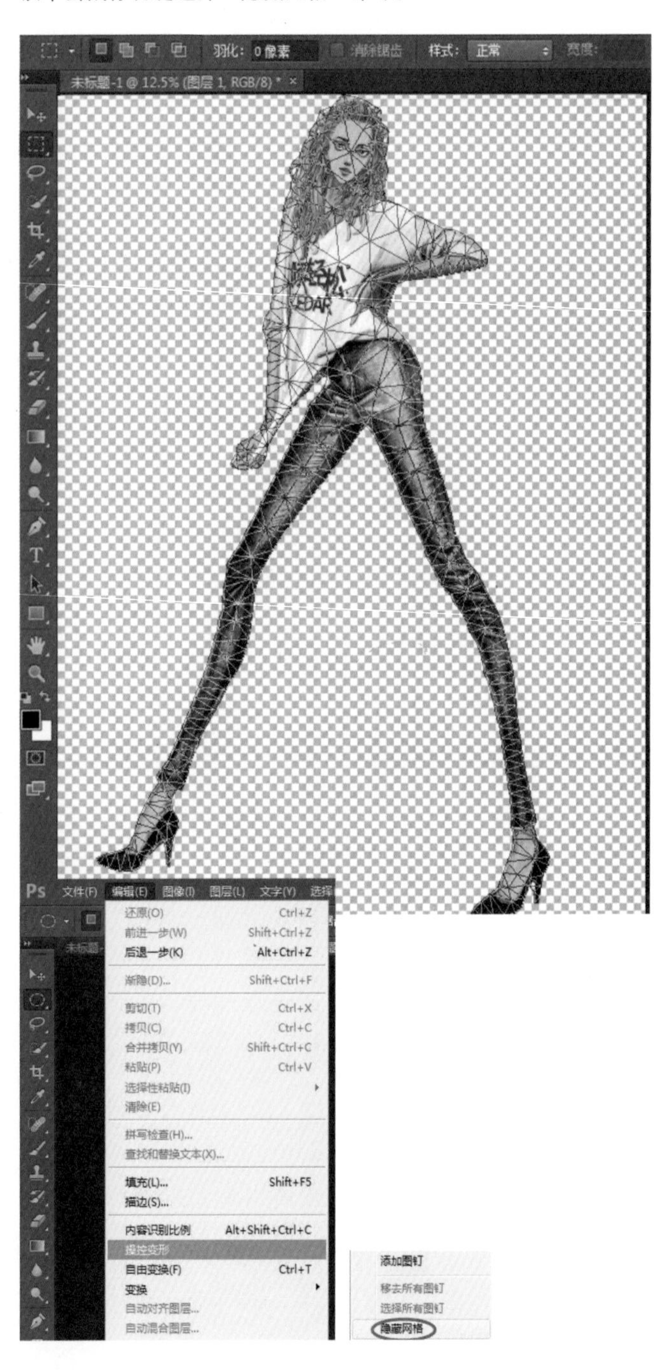

③ 用鼠标在人体的关键位置，特别是关节处打上图钉。注意按住Alt键可以删减图钉。

④ 用鼠标拖动图钉就可以调节人体的动态了。

8.4 电脑着色

随着手绘板和压感笔的广泛普及，电脑绘图已经成为一种趋势。它不但修改方便，还可以节省时间，给设计工作带来很多便利。在电脑绘图中需要特别注意的是要分好图层，除了给线稿分一个图层外，还要给颜色多分几个图层。比如皮肤色分一个图层，一个服装色分一个图层，并且有时还需要给头发、眼睛、嘴巴等细节的地方各分一个图层，这样做可以为以后的修改带来诸多方便。

■ 练习范例

① 将扫描的手绘稿在电脑中打开，将图像模式设为RGB模式，如果需要打印出来的话，就将图像模式设为CMYK，然后再通过调整“色阶”增强画面对比度。接着检查画面的细节，用橡皮擦将画面上不必要的污点擦除。

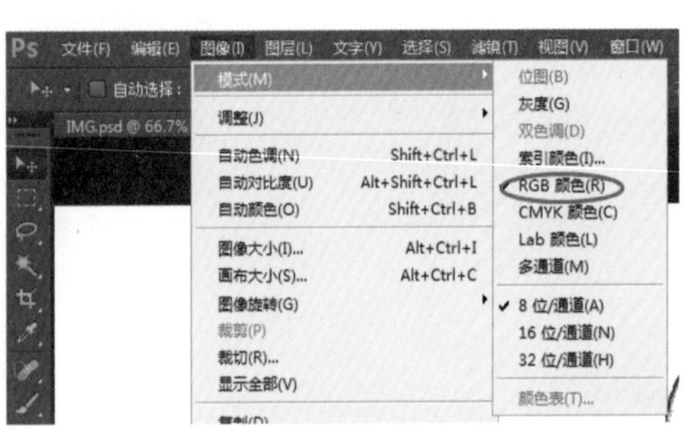

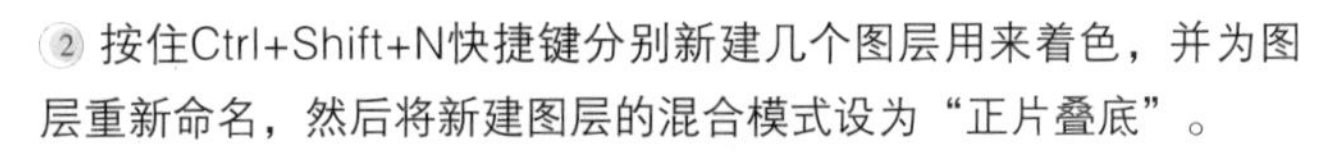

② 按住Ctrl+Shift+N快捷键分别新建几个图层用来着色，并为图层重新命名，然后将新建图层的混合模式设为“正片叠底”。

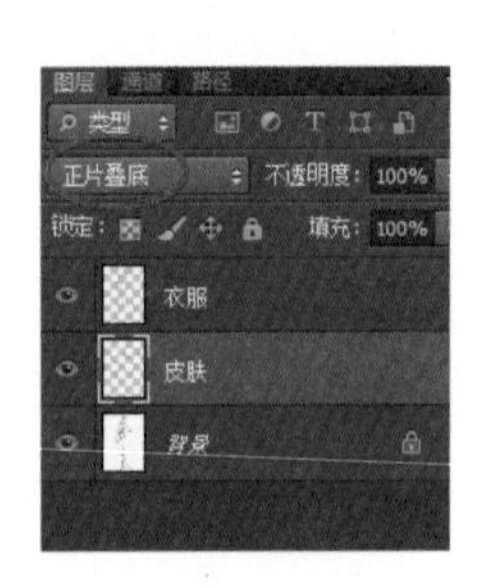

③ 铺大色调，着色的时候可以先不考虑它的明暗和光影，只是简单地对固有色进行搭配。

④ 铺设明暗关系。按照光源方向，用较大的笔刷迅速分开明暗关系。

⑤ 在刻画细节前，可以先按F5快捷键打开“画笔”属性对话框，选择所需要的画笔型号，在这里可以按需求调整画笔的的形状、长度、粗细、间距的属性。例如在画头发的时候，面对一根一根的头发，就可以选择“硬毛刷品质”的画笔。

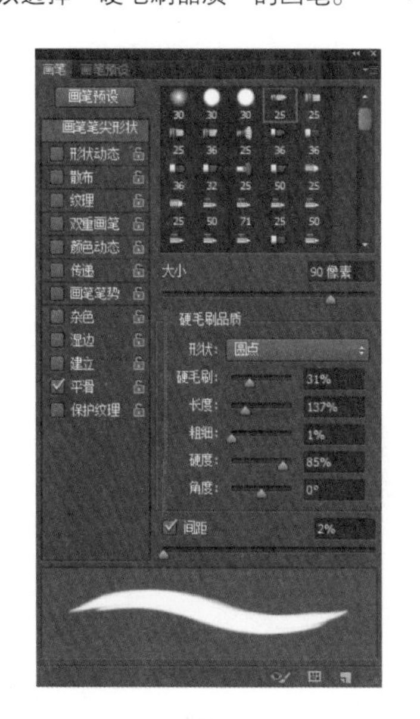

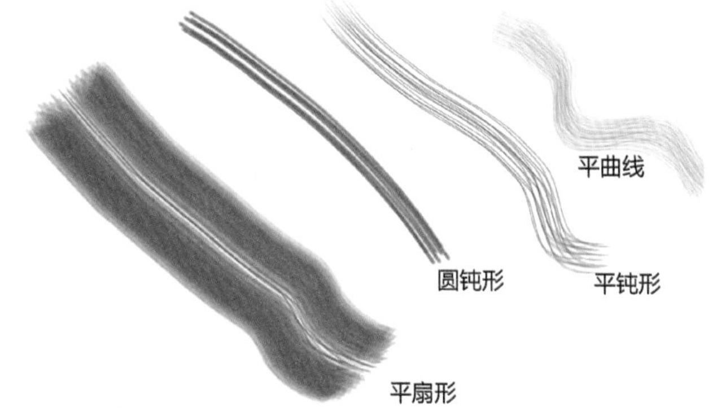

⑥ 用较透明的“柔边”笔刷，在面颊处点画出腮红，然后用2~3个色调表现嘴唇。

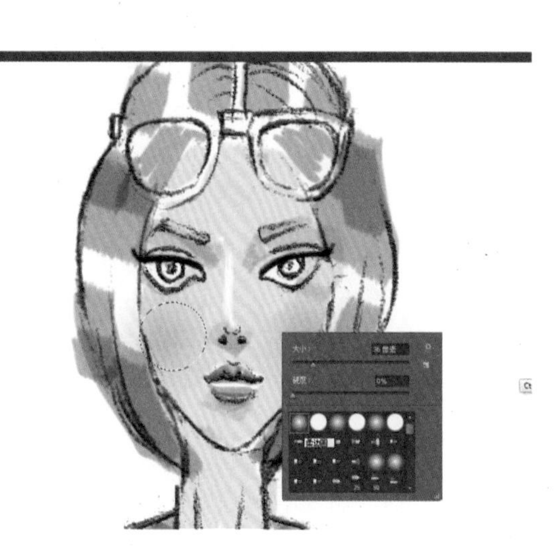

⑦ 刻画眼睛和鼻子。因为它们处于视觉的中心，所以刻画时要多下些工夫。刻画眼睛时，要注意表现晶状体的质感，有时细小处的高光会关乎到整个人的形象气质。

⑧ 用三遍调子来画头发。第一遍调子平涂并保留高光，用第二遍调子将头发分成发缕，用第三遍调子强调整个头发的明暗。

⑨ 对服装的刻画也大体分成深调、中调、浅调三个调子。在使用笔刷时可以通过按住Alt键随时切换吸管工具选取需要的色块。

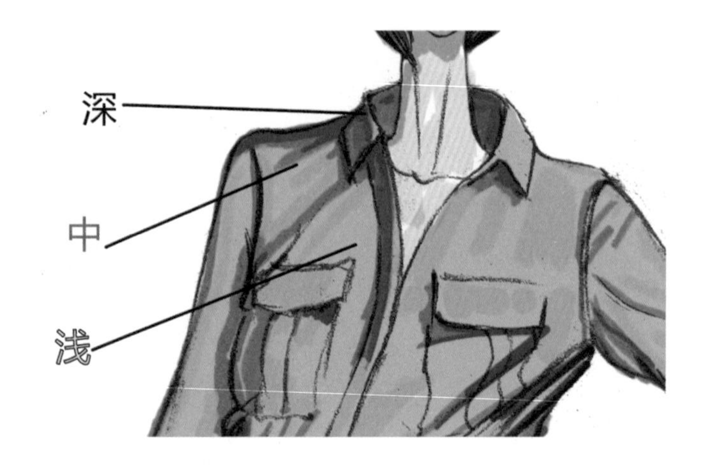

⑩ 刻画包和鞋子。在画包的时候要考虑到衣服对包的反光，所以包上面应当有一部分衣服的颜色。

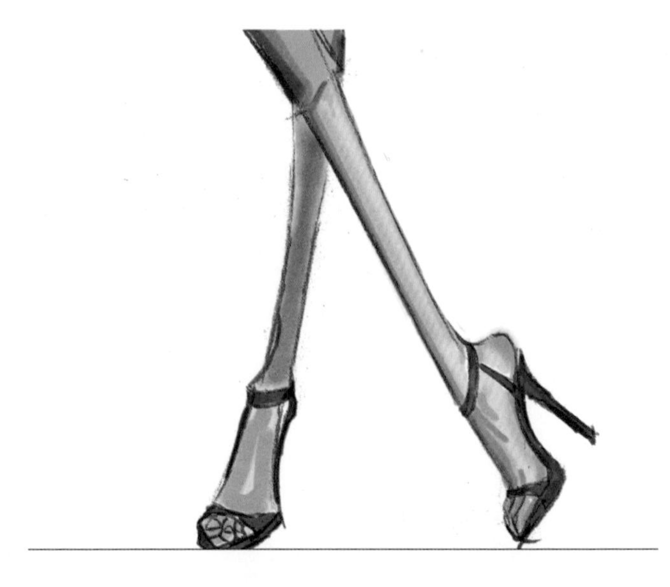

⑪ 细节刻画得差不多后，将画面缩小看整体效果。通过从细节到整体，再从整体到细节的顺序对画面做整体调整。

⑫ 上投影，增强它的真实感和完整性。这样这幅画就基本完成了。

⑬ 这时可能会觉得模特服装的款式比较简单，所以感觉整幅画有些单调，那么就可以加些修饰让画面更加丰富。

8.5 做印花

■ 练习范例

① 将花纹图片导入到作品中，注意长宽大小要覆盖住衣服，并将图层模式设为“正片叠底”。

② 这时候的花纹仅仅是以平面的形式覆盖在上面，如果想让花纹随着衣褶的起伏而起伏，就要进行下面的操作，执行“滤镜>扭曲>置换”菜单命令，打开“置换”对话框，然后调整设置的参数。

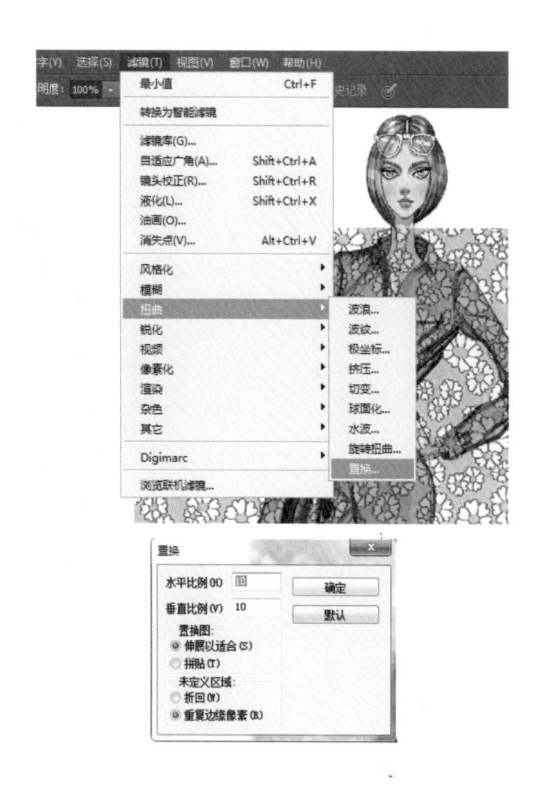

③ 单击“确定”按钮后，选取这个文件的PSD格式为置换文件，然后打开就得到了扭曲变形的图像，这时候的花纹就已经随着衣褶的起伏而起伏了。

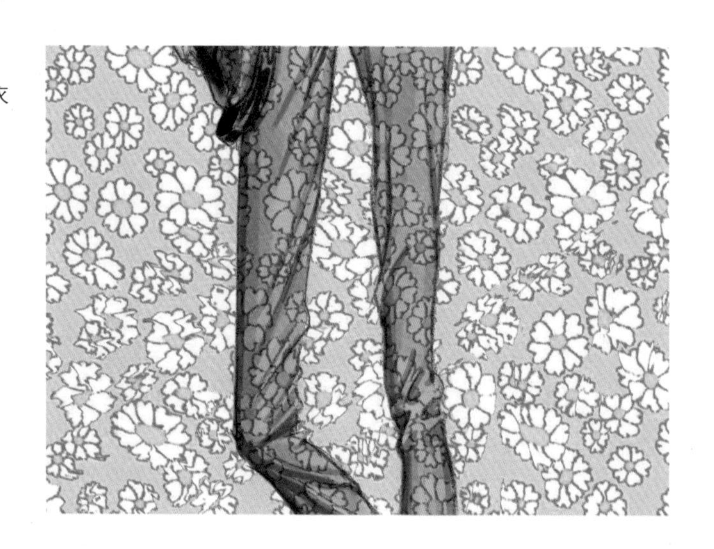

④ 利用蒙版去掉多余的花纹，整个服装上花纹的填充就完成了。

第9章

时装效果图欣赏

画服装画是一件非常美妙的事情，它如同是一台便携式的摄影机，记录着生活与工作中的点点滴滴。它让我们脑海中的灵感变得不再虚无缥缈，生活中每一个备受感触的瞬间在画纸上变成永恒，我们终于可以通过手中的这支笔来表现不一样的潮流和时尚。

作品欣赏

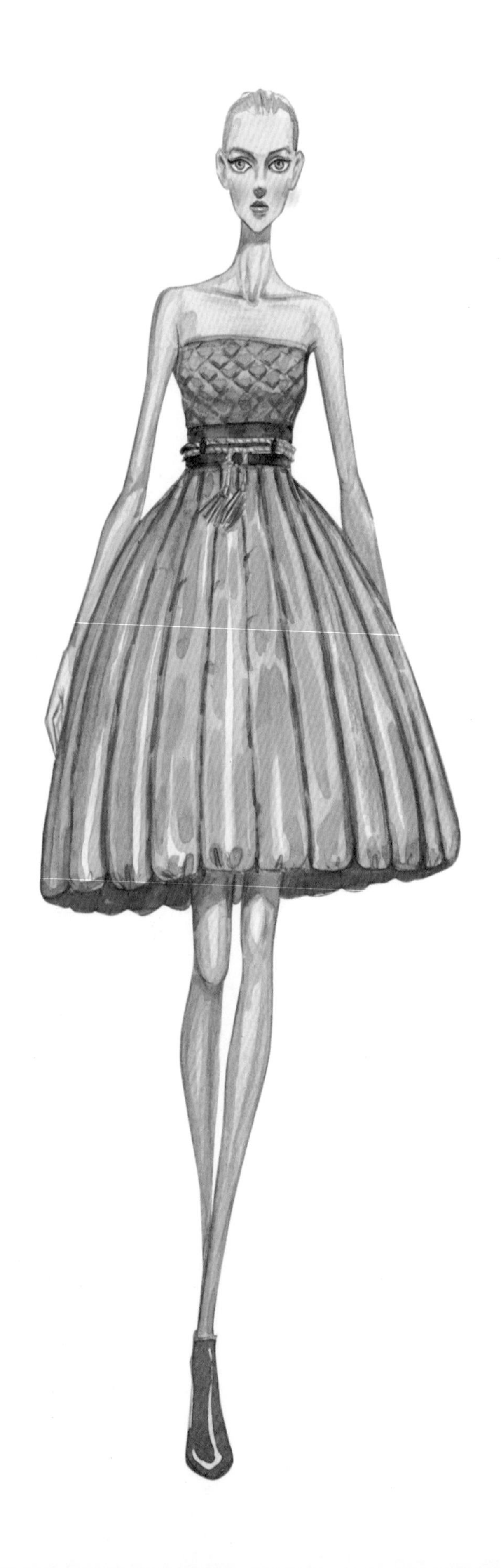